朝日新書
Asahi Shinsho 886

この世界の問い方

普遍的な正義と資本主義の行方

大澤真幸

朝日新聞出版

まえがき

本書には、朝日新聞出版の月刊誌『一冊の本』で、2020年6月からおおむね隔月のペースで書いてきた時事的な評論を——若干の加筆と修正をほどこした上で——収録している。連載したすべての評論を本書に入れたわけではない。また、本書の章や節の順序と雑誌での発表順とは合致していない。本書の各節が、連載時の一回分にだいたい対応している。

*

それにしても、このおよそ2年半、グローバルなレベルで見たとき、あるいは国際社会において、実にいろいろなことが起きた。まるで世界が破局に向かっているかのように感じさせる無秩序や混乱が、さまざまなかたちで噴出したのだ。

たとえば新型コロナウイルスのパンデミック。このパンデミックは、健康の問題に限らないさまざまなことがらと絡み合っていた。経済的な危機やエコロジー的な危機はもちろんのこと、人種や階級の間の格差や不平等、国家間の葛藤、監視と自由の対立など、いくつもの問題が、パンデミックを媒介として浮上した。

あるいは、新しい冷戦と呼ばれることもあるアメリカと中国の間の政治的・経済的な対立。この対立はもちろん、香港(ホンコン)での動乱や台湾の帰属問題とも関連している。たとえば台湾海峡で米中の軍事衝突があれば、それは、ただちに日本にとっての脅威につながるだろう。

世界で最も優れた民主主義を実践していると信じられていた国(アメリカ合衆国)における、大統領選挙の失敗。投票結果を認定し、次期大統領の就任が正式に決定されようとしていたその最中に議事堂が襲撃された。選挙後のここまでの混乱は、敗者の側が、民主主義の前提となる選挙という手続きそのものへの信頼をもっていないことを示している。この混乱を、その20年前の大統領選挙と比較してみるとよい。アル・ゴアがジョージ・W・ブッシュに敗れたこの選挙でも開票結果に疑問が生じ、フロリダ州の票が再集計されたりしたが、両陣営とも選挙の手続きへの信頼はもっていた(だから、数えられていない票があるとの疑いをもっていたゴアも結局、敗北を正式に認めた)。しかし、今では、この最小限の信頼が失われている。

そして何より、ロシアによるウクライナへの軍事侵攻から始まった戦争。この戦争は、二国間の局地的な戦争ではない。第三次世界大戦につながってもおかしくない——いやすでに潜在的には第三次世界大戦でもあるような――戦争である。これほど大きな戦争が起こるということを、戦争勃発（2022年2月24日）の1年前には、いやそれどころか2022年の年初においてさえも、プーチン大統領本人を別にすると、ほとんど誰も予想はしていなかっただろう。

本書で特に主題的に論じてはいないものまで含めれば、無秩序や混乱の例はさらにいくらでも増やすことができる。たとえばヨーロッパにおける難民危機や移民排除。アメリカ軍のアフガニスタンからの撤退とその後のアフガニスタンの政治的・経済的な苦境。こうした混乱の列に、日本における元首相暗殺事件とその後のスキャンダラスなごたごたも含めておこう。

要するに、私が本書のもとになる連載を書いていた2年半ほどの間に、社会秩序を根本から脅かすたくさんの出来事が起きたし、それらの大半は現在も進行中である。が、これらの出来事が生起したとき、私たちは皆、奇妙な感覚をもったはずだ。確かにいろいろなことが起きている。何かが起きているのだ。しかし、結局のところ何が起きているのか、よくわからない。

別の仕方で言い換えてみよう。さまざまな破壊的な出来事が生起し、進行していることは確かなのだが、それらを規定している原理や法則のようなものがさっぱり見えない。その出来事は、歴史過程を記述するどのような論理の中で生じているのか。その出来事は、どのような社会発展の法則に規定されているのか。こうしたことが直観的に把握できないと、起きていることが何なのか、その本質はどこにあるのかわからない、という当惑が生ずることになる。つまり、現在の混乱は、個々の出来事の中にあるだけではなく、出来事を規定していたはずの原理や法則のレベルにもあるのだ。

たとえば、いま私たちの眼前で展開しているロシアとウクライナ（ヨーロッパ）との間の戦争やアメリカと中国の間の葛藤を、かつての冷戦と比較してみよう。冷戦とは、「普遍性」を標榜（ひょうぼう）する二つの世界観の間の対立であった。この対立を前提にして、さまざまな混乱や紛争を解釈することができた。キューバ危機も、ヴェトナム戦争も、ソ連のアフガニスタンへの軍事侵攻も、冷戦の対立を基本的な原理とすることで、それらが何であるかを理解できたのだ。

しかし、現在のウクライナ戦争の場合はどうだろうか。ロシアがウクライナに軍事侵攻している。しかし、ロシアは、なぜ、きわめて大きなコストをかけてそんなことをやっているのか。プーチン大統領以外には誰にもよくわからない。いや、プーチン本人さえも、自らを駆り立てている無意識の衝動を十分には自覚できていないだろう。この戦争は何なのか、よくわからない。戦争を規定している説得力のある論理や法則が見当たらないからだ。

あるいは、中国とアメリカが覇権争いをしているとして、それは結局、何と何とが対立していることになるのか。アメリカに関しては、私たちは、これを概念へと転換する術を知っている。アメリカとは、リベラル・デモクラシーと資本主義(キャピタリズム)の結合体である、と。では、中国とは何なのか。中国をどう規定したらよいのか。それは明らかに、冷戦時代の社会主義国家ではない。紛れもなく資本主義のシステムである。しかし同時に、中国の体制は、政治的には権威主義だ。しかし、権威主義と(順調な)資本主義の結合は、社会科学がこれまで前提にしてきた法則からすると、ありえないものなのだ。すると、共産党の一党独裁のもとで「社会主義市場経済」なるものを推進している現在の中国の繁栄は、偶発的なもので、すぐに儚(はかな)く消えていくものなのか。それとも、資本主義の中国は、アメリカという軸に対抗するもうひとつの軸として持続的に存在するのか。論理的には不可能なものが確固たる実体として存在している……現代の中国はそんな印象を与える。

＊

このような状況の中で、私は本書に収録した評論を書いてきた。普通、時事的な評論は、社会学の——あるいはより広く社会科学の——理論を前提にし、それを現実の出来事の説明に応用することで成り立っている。だが、ここに述べてきたような事情から、本書の評論は、そうしたスタイルで書くことはできなかった。理論が公理や（証明済みの）定理としてかかげてきた原理や法則が、この2年半の中で次々と生じた混乱や無秩序には通用しないからだ。つまり、原理・法則と見なされてきたことがらこそが、この間に揺れ動き、崩壊したからだ。

それゆえ、本書の評論を書きながら、私は、二つの作業を同時に行なっていた。一方で、出来事を解釈しつつ、他方で、その解釈において前提になる理論を構築すること。後者の作業は、ときに明示的に、ときには暗黙のうちになされている。いずれにせよ、ここに書かれていることは、確立された理論の応用ではない。理論そのものが、出来事を解釈したり、説明したりする中で少しずつ準備され、生み出されているのである。

＊

ところで、ここまで述べてきた困難、つまり出来事を規定している原理や法則のレベルで混乱や無秩序が発生しているという問題は、知や認識に関する困難を意味しているだけではない。それは、実践的な困難をも含意している。紛争を規定している原理や法則が見えないということは、対立する両陣営を包摂する公共圏が縮小している——ほとんど無化している——という社会的現実を反映してもいるからだ。

たとえば、ウクライナとロシアの間の戦争を話し合いによって解決できるかを考えてみると、きわめて悲観的な気持ちになるだろう。ロシアが何のために戦っているのかわからないとき、何をどう譲歩すれば、ロシアが満足するのか想像することもできない。そもそも、ウクライナの側にロシアに譲ることができるもの、譲るべきものがあるとも思えない。

公共圏が成り立たないのは、国と国の間だけではない。ひとつの国の中においてさえも、公共圏は崩壊している。アメリカでは、民主主義的な合意のための選挙の手続きへの信頼がすでに失われていると先ほど述べた。とすれば、トランプ前大統領を支持するオルタナ右翼とリベラル・デモクラシーを標榜する既成勢力（エスタブリッシュメント）との間の政治的・イデオロギー的な対立は、民主主義的な手続きや話し合いによって解消するようには見えない。対立は今ではむしろ、潜在的な内戦の状態にある。

しかし同時に、この2年半の中で次々と生起した多様な危機、新型コロナウイルスのパンデミックのような危機が私たちに痛烈に自覚させたことは、国民国家（ネーション・ステート）の枠組みを超えたグローバルな連帯の必要性である。気候変動のような問題は、グローバルなレベルの国際協調の体制がなければ、絶対に克服できない。私たちは皆、このことを深く理解した。だが、まさにそのとき、公共圏が今までになく縮小している。公共圏の現状は、私たちの必要に完全に背馳（はいち）しているのだ。

理論の模索は、だから、エレガントな知の体系を構築することだけが目的ではない。理論は、紛争や葛藤の背景に、それらを規定する共通の基盤を見出さなくてはならない。その共通の基盤こそは、公共圏を再構成するための最大の手がかりになる。

*

混乱や無秩序は、常に悪いわけではない。人は、それらに希望を見出すこともある。極端なケースは、革命の最中である。既存の秩序が崩壊し、カオスが出現しているときこそ、革命の成功の可能性は高まる。ロベスピエールも、レーニンも、毛沢東も、社会の大混乱を歓迎したに違いない。

では、私たちがいま直面している混乱や無秩序は、そのような良性のものなのか。それらは、希望を見出しうるものなのか。残念ながらそうではない。どんな条件のもとで、混乱と無秩序が希望に結びつくのか。私たちが自分自身について、どこから来てどこへと向かっているのか、明確な展望をもっていること、それが必要条件だ。このとき、現在の混乱や無秩序から希望を紡(つむ)ぎ出すことができる。本書に収録した評論は、そうした展望を獲得することを目標としている。

＊

本書のもとになった『一冊の本』での連載と本書そのものをつくるための作業を、私とともに歩んでくださったのは、『一冊の本』の編集長の三宮博信さんである。三宮さんの反応や感想が、暗闇の中での手探りのような探究がどこまで成功しているかのバロメーターであった。三宮さんに、この場を借りて、「ありがとう」と言いたい。

2022年9月22日

大澤真幸

この世界の問い方　目次

4章 アメリカの変質
――バイデンの勝利とBLMが意味すること 241

5章　日本国憲法の特質
——私たちが憲法を変えられない理由

1章

ロシアのウクライナ侵攻

――普遍的な正義への夢を手放さないために

初出

1章（1）『一冊の本』2022年4月号
（2）同　同　6月号
（3）同　同　7月号
（4）同　同　8月号

（1）何のための軍事侵攻か
――小さな真実の下にある大きな妄想

ロシアはヨーロッパなのか？

なにゆえ、プーチンは、ウクライナへの軍事侵攻を決断したのか。プーチンは、ウクライナの中立化と非軍事化を求めているという。だが、なぜ。どうして、他国の主権を侵す、そんな強引なことを要求するのか。西側の軍隊が、つまりNATOが、ロシアの目の前まででくることが、ロシアにとっては脅威なのだという。つまり、ウクライナがNATOに加わることを、許すことはできない、と。なるほどロシアが抱くこうした恐怖に、一抹の真実はある。NATOの軍隊がすぐ近くにいて、ミサイルを自分の方に向けているとすれば、それは確かに恐ろしい。NATOが想定している主な敵は、どう見ても、自分たちロシアに見える。

が、ここにいくぶんかの真実があるとしても、ウクライナに実際に軍隊を入れることを正当化できるものではないし、そもそも軍事侵攻は、戦略としても明らかに本末転倒で、合理性を欠く。この軍事侵攻によって、ロシアにとってのNATOの脅威は、より現実的で切迫したものになっただろう。たとえNATOにとっての仮想敵のひとつがロシアだったとしても、これまでは、NATOは、ロシアとの戦争など半ば空想的なもので、ほんとうに戦争するときが来るとは思っていなかったに違いない。しかし、ロシアがウクライナに軍事侵攻したことで、NATOにとって、ロシアははるかに現実味のある敵となった。NATO側は、それほど遠くない将来、ロシアがさらに西に進撃する可能性は十分にあり、そのときには覚悟を決めてロシアと戦争しなくてはならない、と思うようになったに違いない。加えて、ヨーロッパの北部・中央部にNATOに加盟しようとする国はさらに増え、ロシアにとっての軍事的脅威はますます大きくなっただろう（付記1）。ウクライナのNATOへの加盟が今日明日に迫っているような状況ではなかったことを思えば、軍事侵攻は明らかに不合理な戦略であった。

どうしてこんなことになったのか。ほんとうは、プーチンは、NATOの軍隊が、どこに配置されるか、ということをめぐる駆け引きやゲーム（だけ）をやっているわけではない。プーチンとロシアが感じるだろうNATOへの脅威には、わずかな真実がある、と述べた。その小さな真実の陰には、大きな嘘が——というか大きな妄想、地政学にかかわる妄想に近いような独特の世界観がある。というのが私の推測である。

*

私の考えでは、プーチンが引き起こしたこの戦争には——戦争に結実している彼の外交戦略全体には——、アイデンティティと自尊心の核心にかかわる問いが、賭けられている。ロシアとは何か？　いや、もう少し限定したやり方で問いを出しておいた方がよいだろう。ロシアはヨーロッパなのか？

ロシアは、ヨーロッパである。少なくとも、プーチンは、基本的にはそう考えているはずだ。ロシアをヨーロッパであるとする、その根拠はどこにあるのか。それは、ロシアが、キリスト教を受け入れた国だからである。ヨーロッパ的なるものの中心には、キリスト教がある。ロシアの文化も、キリスト教を根幹に取り入れた。ロシア人は、自らの起源を、9世紀後半に端緒をもつキエフ・ルーシ（キーウ大公国）に見ている。[*1] キエフ・ルーシに君臨したリューリク朝は、ウラジーミル公の治世だった10世紀の終わり頃、キリスト教を正式に受け入れた。このときのキリスト教の選択は、「ルーシ〔ロシア〕の洗礼」と呼ばれ、ロシアの建国物語の枢要な部分を構成する決定的な出来事だったとされている。

が、ここで留意すべき重要なことがある。彼らがとったキリスト教は、東側のキリスト教、つまり正教だった。ずっと後に、「近代」を駆動したヨーロッパ（西洋）を文化的に特徴づけているのは、西側のキリスト教、つまりカトリックである。16世紀には、カトリックから（そのアンチテーゼとして）プロテスタンティズムが派生する。キエフ・ルーシが受け入れ、今日のロシアにまで継承されてきたのは、西側のカトリックの伝統ではなく、東側の正教の伝統であった。

ロシア最古の年代記『ロシア原初年代記』によると、ウラジーミルの宮廷には、ブルガール人、ドイツ人、ハザール人、ビザンツ人が次々とやってきて、それぞれの宗教、すなわちイスラーム教、カトリック、ユダヤ教、正教を宣伝した。ウラジーミルの方でも、これらの国々に使節を派遣して、それぞれの宗教について調べた。その上で、ウラジーミルは、正教が最もよいと判断して、正教を選んだことになっている。[*2]

この物語では、ロシア（キエフ・ルーシ）はいくらでも他の宗教を選択できたかのような印象を与えるが、当時の状況から考えて、ウラジーミルが選択すべき対象としては、事実上、正教しかありえなかった。当時のロシアにとって、模範とすべき憧れの「先進国」はビザンツ帝国である。となれば、ロシアが正教を受容するのは、ほとんど必然である。ウラジーミルに先立って、彼の祖母にあたるオリガが、ビザンツ皇帝を代父として洗礼を受けてもいた（ロシア最初のクリスチャン）[*3]。

「どこまでが西か」をめぐる競争

プーチンには、非常に深いヨーロッパ・コンプレックス、ヨーロッパに対する憧れと劣等感がある。別にプーチンに限りはしない。ロシア人の多くには、歴史的に、ヨーロッパ・コンプレックスがある。ロシアを「大国」としようとしているプーチンの場合は、ヨーロッパ・コンプレックスは特に強い。私は、このように診断している。ヨーロッパへの彼の憧れは、（ニーチェが述べているような意味での）ルサンチマン（怨恨）の域に達している。いや、もともと、「そうでありたい」「羨（うらや）ましい」という気持ちは、嫉妬やルサンチマンと表裏一体の関係にある。

いや、ちょっと待ってくれ。今し方、キリスト教化したロシアはヨーロッパに属している、と述べたばかりではないか。どうして、ヨーロッパに対して劣等感を抱くのか。こう反論したくなるだろう。ここが微妙なところである。

実のところヨーロッパには、西と東をめぐる対立がある。これは対等な対立ではない。西の方が優位であることを皆、認めている。「西」こそが、ほんもののヨーロッパなのだ、と。問題は、どこまでが西なのか、である。「東」のヨーロッパだと見なされた場合には、ヨーロッパにして非ヨーロッパ、同じヨーロッパでありながら、ヨーロッパの外の非文明地帯と言われたに等しいような気分になる。つまり、「東ヨーロッパ」という語には、ヨーロッパの中の東という意味と、ヨーロッパの外という含みと、両方があるのだ。

微妙な位置にある国は、自分は西である、西のフロンティアにあって「ヨーロッパ」を守っている、という自己認識の中で自尊心を保とうとする。だから、繰り返せば、どこまでが西なのか、ということが問題になる。冷戦の時代には、あの鉄のカーテンが東／西の境界線になっていた。が、冷戦が終わった後は、境界線ははっきりしない。誰もがほんとうは、自らを西側の一員だと思いたいし、また思われたいので、「境界線」は、東側に向かって移動する傾向がある。

ならば、東－西などもともと相対的なものなのだから、皆、自分のことを「西」だと言ってしまえばよいではないか。誰にとっても、自分より東は存在している。だが、そういうわけにはいかない。というのも、「西」と「東」というのは、単純な地理的概念ではないからだ。それが指しているのは、文化がもっている基本的なトーンである。このことに最も深く与(あずか)っているのが、ほかならぬキリスト教だ。西側のキリスト教なのか、東側のキリスト教なのか。ただし、教義そのものが問題になっているわけではない。そうではなく、重要なのは、それぞれのキリスト教と結びついた文化の全体的な「雰囲気」である。一方には、西側のキリスト教、つまりカトリックと、それ以上に(カトリックからいわば前衛的に逸脱した)プロテスタンティズムと緩やかに結びついている文化的な複合物の全体、あるいはライフ・スタイルがある。他方には、正教の伝統を基調とした文化やライフ・スタイルがある。率直に言えば、前者(カトリック-プロテスタンティズム)の方が洗練され、文明化されており、後者(正教)の方がややダサく、遅れているかのように感じられているのである。

したがって、単純に、地理的に、どこかより西にあるからといって、西ヨーロッパの一員だとは言い切れない。たとえばポーランドは、旧社会主義国でもあり、ヨーロッパのかなり東寄りに位置していたが、宗教的にはカトリックが主流なので、周辺の正教系の諸国よりは、自分が「西」だと主張しやすい。ちなみに、ウクライナは正教の側に属している。もっとも、宗教上の教義そのものを争っているわけではないので、「西の（真の）ヨーロッパ」と「東のヨーロッパ」が、それぞれ厳密に「カトリック／プロテスタント」と「正教」に対応しているわけでもない。

いったいどうしてこんなことになったのか。いつから、西が東に対して優位になったのか。最初から、西側のキリスト教が東側のキリスト教より人気があったわけではない（そうだったら、東側のキリスト教が生き残っているはずがない）。たとえば『ロシア原初年代記』によると、先に紹介した「ルーシの洗礼」に際して、ウラジーミル公のもとにコンスタンティノープルから帰ってきた使節団は、ビザンツ帝国の聖堂における礼拝式がいかに美しく荘厳かを報告し、自分たちは天上にいたのか、地上にいたのかわからなかったくらいだ、とまで言っている。キエフ・ルーシの王は、正教の中心地の文明に圧倒され、それに憧れて正教に入信したのである。*4

ヨーロッパにおいて西が優位になったのは、資本主義と結びついた近代化に関して、西側キリスト教諸国が圧倒的に成功したからである。西側のキリスト教、とりわけプロテスタンティズムが優勢だった地域が、資本主義化に関してずばぬけて先進的な地域となり、経済的にも繁栄した。宗教（キリスト教）と資本主義の間にどのような結びつきがあったかについては諸説があるが、いずれにせよ、プロテスタンティズムが浸透している地域と資本主義的な繁栄との間に対応関係があることは、誰の目にも明らかだった。そもそも、ヨーロッパが特別視されているのは、そこが、近代と資本主義の起源であり、また、未だにその中心でもあるからだ。このような意味でのヨーロッパの優位と関係していたのは、西側のキリスト教（特にプロテスタンティズム）だった。「西」が帯びる特別な魅力、特別なオーラは、この歴史的な事実に関連している。したがって、西ヨーロッパの優位が確立したのは、今述べたような意味でのこの地域の成功がはっきりとしてきてから、つまりおおむね17世紀以降のことである。

繰り返せば、ヨーロッパには、誰が、どこまでが、西に属しているのか、ということをめぐる争いがある。どこまでが西であるかが、正式に決められているわけではない。が、基本的には、今日では、EUに加盟できると「西の一員」として承認された、という気持ちになるらしい。

ところで、この構図の中で、アメリカはどこにいるのか。アメリカ合衆国は、もちろん、地理的にはヨーロッパの外であるし、EUのメンバーでもない。だから「西／東ヨーロッパ」という対立と無関係だと思うかもしれないが、そうではない。ここまでの説明からも明らかであろう。アメリカは、普通の西以上の西、圧倒的で別格的な「西」である。西ヨーロッパを特権化させた要素を純化し、強化して保有し、もはや誰も追随できないほどに圧倒的に「西」になっているのが、アメリカ合衆国だ。

繰り返そう。ヨーロッパ性の本質は、キリスト教にある。そのようなヨーロッパ性は、主として、西のヨーロッパの方に握られていた。ロシアは、その外にある。

「大国」への野望

プーチンは、ヨーロッパへの劣等感やルサンチマンをもっている。このことは、以上のようなコンテクストの中で理解しなくてはならない。現在、ウクライナをめぐって、西側と東側（ロシア）が対立しているわけだが、単純に、異なる自己主張をしている勢力の対立としてこれを描くと、実態を見誤ることになる。ロシアの側には、述べてきたように、西への劣等感がある。しかし、西の方には、ロシアへの劣等感など微塵もない。「ロシアのようになりたいな」という気持ちは、アメリカを含む西側の陣営には、まったくない。

西ヨーロッパが羨ましいのであれば、積極的に、西ヨーロッパの文化や制度を導入し、そして何より、西ヨーロッパ諸国と友好的な関係を取り結べばよいのではないか。それこそがなすべき基本的なことではないか。まさにその通りで、ロシアは歴史的には、実際そうしてきた。ここで「歴史的には」というのは、ソヴィエト連邦以前のロシア、つまりロマノフ朝のときの帝政ロシアという意味である。

たとえば、ロマノフ朝の中でもとりわけ尊敬されている王たち、ピョートル大帝（17世紀末から18世紀初頭）やエカチェリーナ二世（18世紀の終わり頃）は、いわゆる啓蒙専制君主である。彼らは、ロシアが、西ヨーロッパ諸国に比べて「遅れている」ということをよく自覚していた。そこで、西ヨーロッパの文化や制度を熱心に模倣し、取り入れようとしたのだ。

プーチンもまた、西側諸国と友好的な関係を築き、啓蒙専制君主と同じようなことをすべきではないか。だが、プーチンにはそれができない。そうすべきではない、と彼は考えているだろう。どうしてなのか。

ロシアが、西側の仲間に加わったとしたらどうなるかを想像してみるとよい。ロシアは、西側諸国のヒエラルキーの底辺に置かれることになるだろう。ロシアは、ドイツやフランスよりはるかに格下の国として扱われるに違いない。西側諸国、とりわけアメリカにとっては、ロシアは——冷戦との関係で——自分たちが救ってやった敗者である（だが、ロシアから見れば、冷戦は西側と協力して克服したのであって、自分たちは敗者ではなく、自力でソ連を解体した）。また、冷戦のことをおくとしても、述べたような「西−東」の対立軸の中で、ロシアは、東の後進国として遇されることになる。

ゆえに、西側諸国のグループに参加すれば、ロシアは、精神的にも政治的にも、従属的な地位を受け入れざるをえない。ロシアは、格下の周辺国と見なされた上に、何より、自らの政治的な意思を実現することはできず、常に（西側仲間の）有力国の決定に従わざるをえなくなるだろう。ロシアとしては——少なくともプーチンは——、こんな屈辱的な地位を受け入れることはできない。プーチンの望むのは、ロシアを「大国」とすることだ。大国とは——プーチンにとっての大国とは——、他国に依存せず、他国の意向に配慮せず、自らの運命を自ら決定できる国家である。[*5]

＊

このような意味での大国は、地球上にほんのわずかしか存在しない。おそらく、プーチンの目から見ると、真に大国としてふるまっている国は、ひとつだけだ。アメリカである。プーチンの目標は、だから、アメリカと対等になることである。冷戦時代のソ連は、アメリカと対等だった……とまではいかないが、好い線を行っていた。が、現在のロシアは、そのレベルに遠く及ばない。

プーチンのリアリズムは、ロシアが単独でアメリカと対抗できるはずがない、ということを理解しているに違いない。ロシアは、適切な他国と組むことで、はじめて、アメリカと対等にわたりあうことができる。ただし、他国と組んだとき、その関係の中で、ロシアが従属的な地位しかもちえなかったり、相手国の決定に依存しなくてはならなかったりしたら、意味がない。その他国との関係の中では、ロシアはほぼ自由に意思決定できなくてはならない。誰と組むのが適切なのか。

ロシアが連合すべき仲間として真にふさわしいのは――プーチンの観点からは――、実はヨーロッパ諸国しかない（はず）。が、そのためには、二つの条件が満たされていなくてはならない。第一に、ヨーロッパ諸国が、アメリカに、安全保障を含むさまざまな面で依存していることに不満をもっていること。第二に、EUのようなヨーロッパ諸国の連合にロシアが加わったとき、その中で、ロシアが主導権を握ることができること。だが、プーチンには残念なことに、これら二つの条件はともに満たされてはいない。ヨーロッパ諸国は、アメリカへの依存をそれほど苦痛に感じておらず、基本的な利害や価値観をアメリカと共有していると思っている。そして、何より、ヨーロッパの主要国は、ロシアを全然尊敬していないので、仮に徒党を組んだとしても——いや組んだときにはとりわけ——ロシアの自由な意思を通すことなど不可能になる。そもそも、ロシアにそんな意図があるならば、ヨーロッパ諸国は、ロシアと手を組もうとは思わない（現に思っていない）。

というわけで、プーチンは現在、仕方がなく、中国に接近しているのだ。別に中国が好きなわけではない（どちらかと言えば嫌いである）。内心、中国を、アジアの野蛮な国として見下しているのではないか（中国がヨーロッパではないことは明らかだ！）。しかし、今は、プーチンのロシアは、アメリカとの間に力のバランスを作るために、中国と友好的な関係があるかのようにふるまわなくてはならない。[*6]

ユーラシア主義？

すると、ロシアは、プーチンのロシアは、どのような論理で行動することになるのか。根底にあるのは、述べてきたように、ヨーロッパに対する極端に両義的な態度である。ほんとうは、ヨーロッパを羨望(せんぼう)している。ロシアはヨーロッパだ、と声高に言いたいところだが、そうはいかない。ヨーロッパの一員であるならば、ロシアはその中の二流国であることに甘んじるしかないからだ。それゆえ、ヨーロッパに魅了されているのに、ロシアはヨーロッパとははっきりと異なる大義をもち、その大義のもとで、ヨーロッパ全体やアメリカと十分に拮抗(きっこう)しうる大国だということを証明しなくてはならない。

哲学者・地政学者のアレクサンドル・ドゥーギンは、プーチンの最も有名な御用学者である。一部の専門家は、ドゥーギンは、プーチンのブレーンだという。そう見てよいほど、プーチンがドゥーギンの地政学に律儀に従っているのかは定かではないが、プーチンが、ドゥーギンの主張を気に入っていることは確かだろう。ドゥーギンは、「ユーラシア主義」を唱えている。ユーラシア主義なるものの端緒は、ロシア革命後の亡命知識人たちの主張にあるようだが、ドゥーギンのそれは、ユーラシア主義のポストモダン的相対主義ヴァージョンとでも見なすべきものだ。[*7]

「ユーラシア」主義というからには、ヨーロッパとアジアとを足して二で割ったような思想かと思われるかもしれないが、そんなものではない。ロシア人は、アジア的なものに思い入れをもっているわけではないし、アジア的な価値観や理念によきものがあると考えているわけでもないからだ。主軸は、ユーロにあるが、しかし、ここまで述べてきたような事情からストレートにヨーロッパ主義を唱えるわけにはいかないので、いわば「アジア」

をまぶして、ひねりを加えているのである。アジアのテーストが微妙に加わった、（本場以上の）ヨーロッパ主義、というわけである。[*8]

ドゥーギンの地政学的な構想の具体像が、このことをよく示している。それによると、ロシアは、大国として、アメリカの影響を排した友好的な欧州地域を形成しなくてはならないのだが、そのために三本の枢軸を必要とする。三本は対等ではない。その中の一つが枢軸の中のさらなる枢軸であって、他の二つの枢軸は、これに従属している。中核の軸は、「モスクワ－ベルリン」の軸だ。他の二軸は、「モスクワ－テヘラン」と「モスクワ－東京」である。モスクワ－ベルリンの軸においては、ロシア（モスクワ）とドイツ（ベルリン）は対等の同盟関係にあるが、他の二軸は、いわば垂直的なものであって、テヘランや東京はモスクワに従属するかたちになる。

この構想は、プーチンは「本音」としては、できることならヨーロッパ諸国で連合し、その中でまずは中心的な役割を担いたいはずだ、という先ほど示唆したことを裏付ける内容になっている。が、驚くべきアイデアでもある。というのも、第二次世界大戦の独ソ戦で、ソ連はすさまじい数の犠牲者を出し、ナチス・ドイツを倒したことは、今でもロシア人の強い誇りとするところだからだ。その憎むべき敵であったドイツを手がかりにしてでも、ヨーロッパに影響力を及ぼしたいのだ。これが、ドゥーギンのユーラシア主義の眼目である。

こうした構想がどれほどプーチンの政策を規定しているかはわからない。プーチンは、モスクワ－ベルリン枢軸などと唱えたところで、ベルリンから相手にされないことはわかっている。ベルリンにとっては、大西洋を挟んだとしても、ワシントンと結ぶ軸の方が、はるかに重要である。しかし、実現可能性が低いからといって、現実に起きていることの理解に役立たないわけではない。現実の政治的な決定や行動が、どのような物語（ナラティヴ）、どのような幻想的枠組みの中で起きているかがわかるからである。ドゥーギンの思想が、プーチンにとって、有意味な枠組みなのかは定かではないが、ドゥーギンがプーチンのお気に入りであることはまちがいない。ちなみに、ドゥーギンの地政学では、ウクライナは、モスクワ－ベルリン枢軸の中での考慮対象である。それによると、ウクライナは、国家としてさしたる重要性をもたないので、ロシアに併合されるべきだ、[*9]ということになる。

プーチンの歴史的参照項

現在のウクライナへの軍事侵攻からの類推で、しばしば、プーチンは、旧ソヴィエト連邦を復活させようとしているのではないか、と言われている。私の考えでは、このような認定は正確ではない。ロシアが大国を目指し、領土を拡張したり、ロシアに対して従属的な友好国を増やしたりしたとしても、最もうまくいってせいぜい旧ソ連の範囲まで勢力を拡張するところまでしかいきそうもない。このことを考えれば、結果的には、プーチンは、あたかも旧ソ連の領土を復活させようとしているかのように見えてくる。しかし、プーチンは、積極的に、旧ソ連の復活を目指しているわけではない。プーチンには、共産主義やソヴィエトへの思い入れはまったくないからだ。

直接的な領土的野心という趣旨ではなく、勢力圏の確保という観点で見れば、プーチンが最終的に目指している領域はおそらく、旧ソ連の範囲よりもずっと大きい。たとえ相手が独立の国家だったとしても、その国家の政治に——ときに直接的に介入しつつ——自由に影響力を行使することができれば、その国家は、ロシアの勢力圏に入っていることになる。どこまでをロシアの勢力圏とすればよいのか。ここで、もう一度、欲望の暗黙の対象がヨーロッパ（西洋）であったことを思い起こそう。近代以降、率直に言ってしまえば、文明化と西洋化は等しい（と、プーチンを含めそう思っている人は多い）。だから、理念としての「ヨーロッパ」に取ってかわることが目指されているとすれば、究極的には、ロシアが確保しようとしている勢力圏は、この地球のすべての範囲ということになる。[*10]

が、現状においては、西洋の中の西洋、西洋以上の西洋と化したアメリカが圧倒的な影響力をもっている。アメリカを乗り越えることは、難しい。となれば、実際の目標は、アメリカと完全に均衡できるほどの大国になること、にある。世界の主要国をアメリカの勢力圏から引き離し、自らの勢力圏に組み込み、少なくともアメリカと対等な力を確保し、アメリカの意思に従わずにすむようにすること。実現できそうにもないが、これが、プーチンにとっては、最小限の目標である。[*11]

こうした目標に生命を吹き込む歴史的な参照項ということであれば、ソヴィエト連邦よりも、それ以前のロシア帝国の方が重要であろう。その場合も、プーチンには、たとえばロマノフ朝の具体的な版図（はんと）を復活させることに関心があるわけではない。意味があるのは、「帝国」という考え方である。[*12] プーチンの目指す「大国」とは、「帝国」なる理念を、現実に少しだけ妥協させたときに得られるものである。

さらに深く考え直せば、同じ帝国でも、プーチンにとってより重要な参照対象は、ロシア帝国以上にビザンツ帝国ではなかろうか。[*13] 特に、版図が最大になった最盛期のビザンツ帝国ではなく、その後のビザンツ帝国だ。ローマ帝国が東西に分裂し、ビザンツ帝国（東ローマ帝国）が成立する（395年）。西ローマ帝国は一世紀もしないうちに滅亡するが、ビザンツ帝国は存続し、その版図は、6世紀の中頃にピークに達する。その後、ビザンツ帝国の領土は大幅に縮小する。こういう情勢になると、たいていの帝国はすぐに滅んでしまうのだが、ビザンツ帝国は、ピークを超えてからも、周囲とのネットワーク的な関係を巧妙に活用することで千年近く存続し、その間、世界的な——正教圏全体への——影響力を保った。ビザンツ帝国のこの手法は、ソ連が解体した後のロシアの存続のモデルになるのではないか。

そして何より、ビザンツ帝国は、正教の中心地である。ロシアが、西のヨーロッパと対抗し、自分こそが、ほんもののヨーロッパであると自己主張しようとすれば、まず依拠すべきは、ヨーロッパ性の本質をなすキリスト教の伝統である。それは、ロシアの場合、当然、正教しかない。かくして、プーチンの戦略は、ビザンツ帝国に象徴されるものの現代的な再現という意味を担うことになる。

「ほとんどわれわれ」さえも……

さて、そこでウクライナ、である。ウクライナは、ロシアか、ヨーロッパか、という選択の前に立たされてきた。冷戦終結以降、ウクライナは、二つの選択肢の間で、揺れていた。そして今や、少なくともゼレンスキーを大統領に選出した後は、いやもう少し前のマイダン革命以降は、はっきりとヨーロッパを選択する、と決めた。ウクライナがEUに加盟できたり、あるいはウクライナがNATOの一員になったりすれば、この選択が、政治的・社会的な現実として明確に実を結ぶことになる。ウクライナがヨーロッパを選択したことが、プーチンのロシアにとって、どれほど屈辱的で許しがたいものか、ここまでの議論から理解できるだろう。

ロシアは、素直に「ヨーロッパ」を選択することができない。しかし、ウクライナには、それができる。ヨーロッパを選択するのに、ウクライナには躊躇はない。ロシアとの違いが出る理由は簡単にわかる。ウクライナは、ロシアと違って、「大国」になりたいとは思っていないのだ。ここに相違がある。

「西」の仲間に加わったとしても、ウクライナがいきなり繁栄するわけではない。ウクライナは、西側のグループの底辺か周辺部に組み込まれるだろう。経済的には搾取されるだろうし――たとえば安い労働力の供給源として活用されるだろうし――、政治的な発言力はきわめて小さいものになる。ウクライナの政治指導者や国民が、こうした可能性を考慮に入れず、能天気にもバラ色の豊かさだけを夢見ている……とは私は思わない。西側のヨーロッパの中に参入したとしても、ウクライナの将来には多くの苦難が待っていると予想される。ウクライナの人々は、そのことを自覚しているに違いない。しかし、それでも、ウクライナは、ロシアにつき従う方よりも、ヨーロッパの側を選択しようとしているのである。

これは、ロシアにとっては、きわめて屈辱的なことだ。ウクライナは、ロシアにとって「ほとんどわれわれ」である。[*14] ウクライナ人とロシア人は、そのくらい、民族的にも、また言語・宗教・文化の点でも共通性が大きい。それなのに、ウクライナは、ロシアよりもヨーロッパをとった。

ウクライナ人は、ロシア人にとって抑圧した自己、否認した自己である、とも言える。述べてきたように、ロシア人も――特にプーチンは――、ほんとうは西側のヨーロッパに憧れている。だが、そのことを素直に行動に移し、ヨーロッパに接近することはできない。

ほんとうは（アメリカを含む）ヨーロッパを羨ましく思い、ヨーロッパに嫉妬しているということを否認しているのだ。ロシア＝プーチンは、自己のそうした側面を抑圧し、羨望や嫉妬などまったくないかのようにふるまい、たとえば「われわれはロシアだ」「われわれはユーラシアだ」「われわれはビザンツの末裔だ」等といきがっていることになる。

ヨーロッパを選んだウクライナに、ロシア（プーチン）が見ているのは、否認し、斥けようとした自分の姿である。人は、一般に、自分自身の中にある嫌悪すべき何かを、他人のうちにみたとき、その他人を激しく憎悪することになる。ほんとうは、その他人ではなく、自分自身が嫌いなのだが、その否定的な感情が他人に投射されるのである。

ロシアにとっての「ほとんどわれわれ」、つまりウクライナでさえも、ロシアではなく、ヨーロッパを選んだ。最も親密な者でさえも、去っていく。プーチンの「大国」への過程は、最初の一歩さえも踏み出せなかったことになる。プーチンのロシアは、最も簡単なハードルさえも越えられなかったのだ。ウクライナにさえも影響を及ぼすことができないならば、アメリカと拮抗しうる勢力圏など絶対に確立できない。

だから、ロシアは、力ずくでウクライナを屈服させようとしている。しかし、そのようなやり方でしかウクライナを従属させることができないということそれ自体が、プーチンの野望が挫折していることの、この上ない証明である。ウクライナに慕われていないからこそ、武力が必要になっているのだから。大国だから軍事侵攻できるわけではない。大国ではないから、そうしているのだ。

＊1　国名が示すように、その中心はキーウである。つまり、現在の――ロシアではなく――ウクライナの首都となっている土地である。キエフ・ルーシは、ウクライナの起源だと見なすこともでき、実際、ウクライナではそのように主張されてもいる。ちなみに「ルーシ」は、「ロシア」の語源だとされている。

＊2　『ロシア原初年代記』国本哲男ほか訳、名古屋大学出版会、1987年。

＊3　オリガは、「すべての者より賢明なるオリガ」としてロシア人に敬愛されている。オリガはイーゴリ公の妻だったが、公が先に亡くなったため、コンスタンティノープルで洗礼を受けたとき、寡婦だった。オリガの美貌に惹(ひ)かれたビザンツ皇帝は、彼女に結婚を迫ったらしい。しかし、彼女は「父」とは結婚できない(ビザンツ皇帝が洗礼の儀式において代父を務めたから)、としてビザンツ皇帝の求婚を巧みにかわしたという。だからオリガは「賢明」だ、と。

＊4　もちろん、物語は、キエフ・ルーシが正教に従ったことを正当化するためのものでもあり、そもそも書き手自身が正教の修道士なのだから、正教がとりわけすばらしいと描かれるのは当然ではあるが。

*5　小泉悠『「帝国」ロシアの地政学——「勢力圏」で読むユーラシア戦略』東京堂出版、2019年。

*6　プーチンは、「主権（国家）」という語を、国際的に通用している一般的なそれとはかなり異なる意味で使っている（小泉、前掲書）。たとえば、プーチンは、トランプがアメリカ大統領になったことで安全保障の方針を変えなくてはならないと語る（当時の）ドイツのメルケル首相に向かって、「ドイツは主権国家ではない」と言い放ったことがある。ドイツすら主権国家ではないのだから、ウクライナは主権国家ではない（実際、プーチンはかつて、当時のアメリカ大統領ブッシュ（子）に対して、「ジョージ、ウクライナは国家でさえないんだ！」と言ったことがある）。日本も、プーチンの目には、主権国家ではない。プーチンのいう「主権」とはどういう意味なのか。他国の許可なく何でも自己決定できるということだ。ドイツも日本も——特に日本は——、アメリカの意向を無視して決定できないことがたくさんあるので、プーチンの観点では、主権をもっていないことになる。「主権国家」を厳しくとれば、「大国」とほとんど同じことになる。主権国家は、おそらく、準大国、大国に近い国家を指しているのだろう。プーチン的には、主権国家は、ごくわずかな強国である。場合によっては、主権国家は、核保有国に近い。核兵器で脅迫すれば、他国の許可なく、自由に決定することができるからである。

*7　ここで紹介するドゥーギンの地政学に関しては、以下に基づく。廣瀬陽子「プーチンのグランド・ストラテジーと『狭間の政治学』」、北岡伸一・細谷雄一編『新しい地政学』東洋経済新報社、2020年。

*8　ときどき、日本のフランス料理店にいくと、「創作料理」と称して、和風のひねりを加えた料理が出されるが、ユーラシア主義は、これに似ている。

*9　ドゥーギンは、モスクワとベルリンの間のすべての国家をロシアに併合せよ、と説いているわけではない。たとえばポーランドは、「特別な地位」を付与されるべきだ、とされている。

*10　ロシア地理学協会のイベントで、プーチンは、子どもたちに向かってこう語っている。「ロシアの国境には終わりがないんだよ」（小泉、前掲書）。プーチンは、相手が子どもだから嘘を言っているのではない。逆である。子どもに対してだから、真実を――自分が考えていることの真実を――言うことができるのだ。

*11　そういうことが目標ならば、ほんとうは、アメリカだけを視野に入れていても不十分で、少なくとも現状では、中国も重要だが、プーチンは、中国を、自分の野心を阻む脅威とは見ていない。中国は、本文でも述べたように、適当に利用できる道具のようなものだが、プーチンにとっては、中国は、真に恐るべき敵ではない。それに対して、アメリカは、ロシアよりも中国の方をずっと脅威だと思っている。これだけでも、プーチン＝ロシアにとっては、屈辱的なことだ。

*12　ここが、ロシアと中国の違うところである。中国にとっては、かつての中華帝国（たとえば清）が支配下においていた具体的な領土の復活が重要だ。たとえば、ロシアは、ウクライナの東部二州を、独立国家として承認してしまうことで、自らの影響圏に確保するという戦略をとった。同じことは中国にはできない。台湾を独立国として承認してしまえば、中国にとっては敗北である。

*13　佐藤優氏の教示に基づく。また、佐藤氏の親友であるアレクサンドル・カザコフが、プーチンの戦略とビザンツ帝国の関係について詳しく考察している。カザコフ『ウラジーミル・プーチンの大戦略』佐藤優監訳、東京堂出版、２０２１年、88‐１０７頁。

*14　この「ほとんどわれわれ」という表現は、よく使われるとのことである（小泉、前掲書）。

（付記１）　実際、フィンランドとスウェーデンがＮＡＴＯへの加盟を申請した。ＮＡＴＯ加盟国の中でただひとつ両国の加盟に反対していたトルコも、やがて加盟賛同に転じ、ついに6月29日、NATOは、両国の加盟手続きの開始を決定した。要するに、フィンランドとスウェーデンが、近い将来、NATOに加盟することが確実になった。

⑵「文明の衝突」ではあるが……

どちらがファシスト的なのか

ロシアのウクライナへの侵攻というかたちをとっている現在のこの戦争、これは文明の衝突のひとつの現れなのか。冷戦が終わって間もない1990年代、サミュエル・ハンティントンは、文明の衝突の時代がやってくる、と述べた。[*1] ロシアとウクライナの間のこの戦争は、文明の衝突の範疇(はんちゅう)に含まれるだろうか。

前節で述べたことから判断すれば、ある条件の下では、これはまさしく「文明の衝突」の一例である。「ある条件」とは何かが重要なのだが、この点については後述する。とりあえず、この戦争は、正教の伝統の中にある文明が、西側のキリスト教（カトリックープロテスタンティズム）の伝統を継承している文明に対抗している、と見ることができる。

プーチンは、ウクライナはネオナチに支配されていて、そこからロシア系の住民を救出するのだ、と主張する。もちろん、ウクライナにも、ファシストっぽい少数派はいるだろうが、だからといって、ウクライナの政権がファシストだというのは、トランプ前米大統領の「選挙が盗まれた」に匹敵する荒唐無稽な話である。

多くの人が指摘しているように、ナチスとよく似ているのは、むしろプーチンの方である。たとえば、プーチンが顕彰している、20世紀前半の宗教哲学者イワン・イリインは、ロシア革命から逃れて、ドイツに亡命した人物で、ファシズムやヒトラーの熱心な擁護者である。プーチンが支持を表明してきた西ヨーロッパの政党や政治家も——たとえば「ドイツのための選択肢」やイタリアの「(北部) 同盟」やフランスのルペンなど——、「ネオナチ」とまで言えば言い過ぎかもしれないが、ファシズムに親和性の高い極右に属している。そして、何より、他国の主権下にある領土を、自らのものであるかのように勝手に侵略戦争をしかけるやり方は、ヒトラーのやり方ではないか。[*2]

したがって、プーチンが、ウクライナをナチスの支配下にあると非難するのは、悪い冗談としか言いようのない虚偽である。これほどの「嘘」にプーチンが訴えているのは、プーチンが仕掛けた戦争が、文明の衝突だからだ。「ナチズム」というレッテルは、相手（西側）をひとつの文明として貶める（おとし）ための語として選ばれている。

プーチンは、NATOが云々（うんぬん）……といった安全保障上の懸念も、「特別軍事作戦」を開始した理由であるとも述べている。こちらは、リアリズムにそっており、もっともらしく聞こえる。が、前節で述べたのでここでは再論しないが、これは、プーチンを強引な軍事行動へと駆り立てた本当の理由ではない。

では、なぜ、プーチンは、わざわざNATOに言及し、それが軍隊をウクライナの領土に入れた動機であったかのように語るのか？　真の理由、つまりひとつの文明を代表する「大国」としての「使命」を果たそうとしているという（プーチンにとっての）ほんとうの動機を隠蔽（いんぺい）し、国内外の人々を——というより主として国外の人々を——納得させるためであろう。「そういう理由ならば軍事行動も致し方なかった」という理解を得るためだ（もちろん、実際には、理解などまったく得られないのだが）。

*

さて、すると気づくはずだ。政治、特に外交における現実主義（リアリズム）と理念主義（アイデアリズム）との関係について、20世紀までのやり方からのはっきりとした転換がある、ということに、である。現実主義と理念主義の間の表裏の関係が、従来とは完全に反転しているのだ。

戦争は一般に、いかにも崇高そうな理念や大義をかかげて遂行される。が、そうした理念や大義は、たいてい、もっと現実主義的な目的を覆い隠す「口実」や「アリバイ」でしかない。侵略相手国にある地下資源（たとえば石油）が大きな富をもたらしうるとか、その国を軍事的な拠点とすることが戦略上、きわめて有利になるとか、といった現実主義的で、利己的な理由が戦争にはある。だが、それを公言するわけにはいかないので、戦争遂行者たちは理念主義を標榜（ひょうぼう）してきた。従来、戦争とはこういうものであった。

だが、ロシアのウクライナへの侵攻に関しては、現実主義と理念主義との関係が、逆転している。戦争へと駆り立てている真の動機は、述べてきたように「文明」に関連した理念主義的なものである。しかし、それを覆い隠すように、ＮＡＴＯ云々といったような現実主義的な目的が公言されているのだ。

従来、事情に精通している専門家や批評家は、表面に現れていることの背後にある、現実主義的な事情——利己的な打算にまみれた現実政治——を暴いてきた。しかし、現在の戦争に関して、同じように見ようとすると、真実を見逃すことになる。われわれは現れていることを、額面通り、受け取る必要がある。ロシアは、西側へ接近しようとしたウクライナが気に入らず、軍隊をウクライナの領内に進撃させたという事実を、である。

文明の衝突＝歴史の終わり

この戦争は、文明の衝突のひとつの現れである。ただし、このような認定は、ある条件を前提にしたときにのみ──それ以上は深く原因を追究しようとはしなかった場合にのみ──妥当なものとして受け入れられる。ある条件とは何か。条件とは、フランシス・フクヤマが述べた意味での「歴史の終わり」である。[*3] すべての人が、現在が「歴史の終わり」であることを受け入れている。そのとき、戦争は、文明の衝突の様相を帯びることになる。

このように説明すると、しかし、多くの人は違和感を覚えるであろう。ハンティントンの「文明の衝突」とフクヤマの「歴史の終わり」は、たがいに相容れない……ように見えるからである。「文明の衝突」も「歴史の終わり」も、共産主義体制の崩壊という現実に対する応答である。つまり、両者は、冷戦が実質的に終結した後の世界像として──一種の仮説の体裁で──、ほぼ同じ頃に提起された。[*4] だが、二つのヴィジョンは、正反対だ。ハンティントンの「文明の衝突」は、この世界に、解消できない葛藤・紛争が残るとする、暗い見通しの産物だ。ハンティントンによれば、冷戦が終わったことで、イデオロギーの間の「鉄のカーテン」はなくなるが、それに代わって、文化の「ヴェルヴェットのカーテン」が現れる。それに対して、フクヤマは、ヘーゲルに依拠しつつ、明るい未来を予言した。人類は、可能な限り最高の社会秩序を見出したのであって、歴史を駆動する本質的な葛藤は消滅した——したがって歴史は終わる——と。これは明るい見通しだ。見出された最高の社会秩序とは、もちろん、世界規模のリベラル・デモクラシーである。文明の衝突と歴史の終わり。これほど異なるヴィジョンはなく、両者は互いに相手を否定しあう関係にある……ように見える。

それゆえ、二つの像を一緒に維持することなど不可能である……と言いたくなる。どちらかひとつを取るしかない、と。しかし、そうではない。これまで何人かの論者が述べてきたように、両者は対立しているように見えて、実は同じものである。「文明の衝突」は、「歴史の終わり」という名前をもった、それ自体ひとつの歴史段階における政治の現実である。[*5] どういうことか？

＊

歴史の終わりと呼ばれる時代にあっては、もはや、普遍的な妥当性を要求する政治的なイデオロギーを掲げる陣営同士の葛藤は発生しない。冷戦の時代には、西側も東側も、それぞれ自分たちの信奉するイデオロギー――自由主義か社会主義か――が普遍的な価値をもつと主張した。それは、必然的に葛藤を含意する。二つの普遍性は定義上、両立できないからだ。こうした葛藤がもはや生じえないのが歴史の終わりである。

このポスト・イデオロギーの時代にあっては、他者との葛藤の原因となりうる自己主張の、唯一の正統な根拠は、生活様式に関すること、つまり文化的なものである。「私たちはこのようなやり方で生活したい」という、一種の美的な趣味についての主張だけが、正統なものとして許容される。リベラル・デモクラシーの秩序の下では、公式には、どんな生活様式、どんな文化的な慣習を選ぶかは、それぞれの個人や共同体の自由である。と言っても、それぞれの生活様式は、自分たちだけの内部で閉じてはおらず、外部の他者とどう関わるかという方法をも含んでいる。そのため、異なる多様な文化の共存を許容すれば、そこには必ず葛藤が生じうる。このように、「歴史の終わり」の時代には、文化の間の葛藤や緊張が、つまり「文明の衝突」へのポテンシャルが社会空間の随所に孕(はら)まれることになる。

歴史の終わりの政治の第一義的な目的は、この葛藤や緊張の処理にある。とはいえ、この処理は、どちらの選択が正当かを決定する——たとえば生活様式Aが生活様式Bより妥当だと決断するような——固有の意味での政治とは異なる。それは、純粋に技術的な調整と妥協の問題であり、政治というより行政だと見なすことができるだろう。

だが、対立する生活様式（文化）の間に、両者が満足できる妥協点が見出されるとは限らない。このとき、葛藤は、軍事的衝突や戦争へと発展する可能性をもつ。ここでもう一度、「歴史の終わり」と名付けられた時代において、葛藤の唯一の正統な根拠（として受け入れられること）は文化的なものだ、という命題が、利いてくる。ポスト・イデオロギー（歴史の終わり）の時代である現代社会においては、世俗の大義——社会主義等の世俗の政治的スローガン——は、大衆を動員する力をもたない。大衆を動員できる文化的なものとは、結局のところ、宗教か、あるいは民族への所属意識しかない。宗教や民族が訴求力をもつ対象は、大衆だけではない。大衆以上に、政治的な指導者もまた、宗教か、あるいは民族的なアイデンティティに準拠しない限り、自らを鼓舞することはできない。

ロシアのウクライナへの侵攻、そしてロシアの西側（ヨーロッパ）への挑戦も、こうした衝突の最も深刻なケースである。文明の衝突は、歴史の終わりだからこそ生じうる。われわれは今、その最悪の実例を見ている。

衝突の過剰

このように、事態は、「歴史の終わり」と「文明の衝突」を組み合わせることで、説明できる。そのように思われるかもしれない。が、よく見なくてはならない。こうした説明には還元できない過剰さが、あるいは説明しきれない歪み（ゆが）が、われわれが現在目撃しているロシアのウクライナ侵攻にはある。

文明の衝突という像は、基本的には、諸文明が対等で横並びであることを前提にしている。だが、実際にはそうではない。諸文明が対等ならば、どうして、プーチン＝ロシアは、西側（ヨーロッパ）を羨望するのか。どうして、強いルサンチマンに反転するほどに、プーチンのロシアは、ヨーロッパを羨ましく思うのか。前節で、この羨望＝ルサンチマンについて、われわれはいくぶんか詳しく説明した。羨望＝ルサンチマンが発生するのは、すべての文明が平等に尊重されているわけではないからだ。

諸文明の中でひとつだけが特権化されている。「文明の衝突」という描写は、すべての文明がそれぞれに特殊であって、どの文明も他の文明を内部に包摂するような普遍性をもってはいない、ということを前提にしている。しかし、現実はそのような描写とは合致していない。ひとつの文明が、普遍的な標準としての地位を有しているのだ。諸文明の間の摩擦や葛藤は、そのひとつの特権的な文明を「地（前提）」とする「図（部分的問題）」としてのみ許容されている。その特権化されている文明がどの文明かは、こんなもったいぶった仕方で書かなくても、明らかであろう。それこそが、西洋（ヨーロッパ）である。

プーチン＝ロシアの、ウクライナへの軍事侵攻が含意していることは、この暗黙のルールの拒否である。ヨーロッパへの帰属を望むウクライナへの軍事力の行使は、西洋文明を受け入れ、前提とした上での競争や葛藤処理という方法そのものを拒絶していることになる。

＊

それならば、プーチンは、ロシアが代表している文明が、西洋を超える普遍的な妥当性をもっていると信じているのか。たとえば、彼は、正教の教えに、西洋的なキリスト教の世俗化によって生まれた価値観を超える普遍的な妥当性があると思っているのか。そんなことはあるまい。まったく逆である。正教は、それを好み信ずる特定の人にしか意味をもたない。プーチンは、そう思っているはずだ。

前節で、プーチンの御用学者アレクサンドル・ドゥーギンの地政学について紹介した。

ドゥーギンは、「西側との戦争を恐れるロシア人たち」というタイトルでまとめられている、BBCによる2016年のインタビューの中で、次のように語っている。「ポスト近代というものは、すべての『いわゆる真理』が信仰の問題だということを示しています。私たちは、自分がやっていることを信じているし、自分が言ったことを信じている。そして、これが真理を定義する唯一の方法です。だから、私たちは、私たちの特別なロシア的真理をもっており、あなた方はそれを受け入れるしかないのです[*6]」。

それぞれの共同体はそれぞれがやったり言ったりしていることを信じており、それらは、各共同体にとっては真理だ、というわけである。これは、奇妙なほどに徹底した真理の歴史的・文化的な相対主義である。ドゥーギンの立場を考えれば、これは、プーチンの、つまりクレムリンの見解の哲学的な基礎と解してもかまうまい。ここから判断しても、プーチンが、たとえば正教を、西洋的な文明から得られる価値観を超える普遍性をもっていると考えているわけではない、と結論することができる。

＊

再確認しよう。「歴史の終わり」の政治は、文明（文化的なもの）の間の葛藤・衝突という形式をとる。ただし、よく見れば、諸文明は、平等にそれぞれ特殊なものとして相対化されているわけではない。西洋文明だけが、文明間の競争・闘争のための場を与える普遍的な標準として機能している。ウクライナに軍事侵攻したプーチン＝ロシアにとっての真の敵は、前節で述べたように、西洋――アメリカをその中核的な大国とする西洋――である。西洋を拒否するということは、通常の文明（生活様式）の間の葛藤の前提となっている「標準」を認めないということ、自分たちの文明により高い普遍性があると見なしていることを意味している……はずだ。だが、プーチン＝ロシアは、過激な相対主義者であって、自分たちの文明的な伝統に由来する価値観が、普遍的な真理である、と主張しているわけでもない。それならば、西洋が与える普遍性の中で、相応のポジションを得れば十分ではないか。それなのに、ロシアは、多大な犠牲を出す――敵に犠牲者を出すだけではなく、自らも多く損害を被る――軍事侵攻を選択した。それは、あまりに過剰である。その過剰分をどう説明すればよいのか？ これが当面の疑問である。

リベラル・デモクラシーが残ったのか？

ここで、文明の間の葛藤の前提になっている普遍的な標準とは何かを、あらためて見直してみよう。西洋に由来するとされるその標準を、である。その標準とされている価値観こそ、リベラル・デモクラシーである。なぜこれが、その上ですべての文明が営まれ、互いに交流し、また競争しあうときに前提とされるべき標準となっているのか。単純である。その倫理的な優位性が認められているからである。つまり、実際に、リベラル・デモクラシーが普遍的に妥当し、受け入れられる公正な規範だと承認されているからだ。それこそが、「歴史の終わり」ということであった。もはや、リベラル・デモクラシーに対する真の挑戦者は現れない……はずだった。

だが、ここでよくよく反省してみるべきだ。勝利したとされるリベラル・デモクラシーには、限定がついている。限定とは何か。資本主義である。資本主義の枠内でのリベラル・デモクラシーが勝利したのだ。真の勝利者は、資本主義である。普通は、資本主義とリベラル・デモクラシーの間には、何の矛盾もない、と考えられている。むしろ、（政治制度としての）リベラル・デモクラシーの（経済システムにおける）自然な同伴者は資本主義である、と見なされてきた。両者は車の両輪だ、と。

＊

しかし、そうではない。資本主義には、自由や平等の理念に反する搾取が内在している。資本家による労働の搾取がなければ、剰余価値（＝利潤）は発生せず、それゆえ資本なるものが存在しえない。剰余労働の搾取は、資本主義の本質的な条件である。このことを厳密に証明したのが、ほかならぬマルクスの『資本論』である。マルクスは、搾取関係から帰結する不平等を記述するために、「階級」という概念を導入した。搾取が生み出す不平等は、ブルジョワジー／プロレタリアートという二項対立を構成する。この不平等、この差別への根本的な抵抗は、階級闘争という形式をとる。

　階級関係として、典型的には、一国内での資本家と賃労働者の関係が連想されるだろう。しかし、資本主義のグローバル化は、階級的な搾取の関係を、一国内に閉じられないものへと拡大していった。マルクス以降のマルクス主義の理論的な努力の多くは、国際化、あるいはグローバル化した階級的搾取を記述するための概念の創造にあてられた、と言ってもよいくらいだ。そのようにして提起された概念が、たとえば帝国主義であり、また植民地主義（コロニアリズム）である。あるいは、イマニュエル・ウォーラーステインは、グローバル資本主義の階級関係を、近代世界システム（世界＝経済）の国際分業体制として、すなわち「中心／準周辺／周辺」の搾取の関係として記述した、と言ってよいだろう。中心がブルジョワジーであるとすれば、プロレタリアートに対応するのが準周辺と周辺である。そして、緩やかな意味では、「中心」に分類される諸国は、西側文明の領域と重なっている。「南北問題」などと呼ばれている経済的な格差も、グローバルな階級関係の――厳密ではないが――一次近似的な表現である。

寄生する階級闘争

プーチンのロシアが仕掛けた戦争に、通常の「文明の衝突」としての特徴づけに還元できない過剰さ、歪みが生ずるのはどうしてなのか？　これが疑問だった。答えはこうである。衝突に過剰性が宿るのは、階級的搾取に由来するルサンチマンや不遇感が加算されているからである。いわば論理的には階級闘争へと向かうはずの怒りや情念が、この戦争に、文明の衝突に投入されているのである。

たとえば、ロシアは、冷戦の敗者として遇されることに強い屈辱感を覚えている。ロシアからみれば、自分の力で社会主義体制を乗り越え、ソ連を解体したにもかかわらず、である。つまり自分もまた勝者のひとりであるはずなのに、である。冷戦の敗者であるとは――しかも冷戦終結後も十分に経済成長を実現できなかったときにはなおのこと――、資本主義のレースにおける「落ちこぼれ」だということを意味している。プーチンの戦争が、自国民にそれなりに支持されているのは、彼らが、国営テレビのフェイクニュースやプロパガンダに騙されているから（だけ）ではない。人は、信じたいものを信じるので、自らの願望に合致したニュースは信じやすい。冷戦終結後、ロシアは、西側から冷遇されてきたが、ロシア国民（の少なくともある部分）は、プーチンがその屈辱を晴らしてくれていると見ているのであろう。

それならば、プーチンが開始した戦争は、「文明の衝突」の仮面をつけた国際的な階級闘争なのか？　プーチンは――そうと自覚することなく――、ほんとうは階級闘争を行なっているのか？　この戦争は、（自己認知とは独立に）いわば客観的には階級闘争だと見なすべきものなのか？　断じてそうではない。プーチンの戦争は、あくまで「文明の衝突」のひとつ、しかもその最悪の形態である。

この戦争が、どのような意味においても階級闘争とは見なしえないということは、この戦争に、階級闘争を階級闘争たらしめている条件、ほかのどのようなタイプの革命運動や闘争にもない、階級闘争だけが有する条件を、満たしていないことから明らかである。普通の革命運動や闘争、あるいは社会運動は、自分たちが勝ち残ること、自分たちが勝者として承認されることを求めて遂行される。しかし、プロレタリアートによる階級闘争だけは、自らの非存在、自らの無化を目指している。階級闘争は、搾取されている階級であるプロレタリアートが、資本主義を定義する生産関係であるところの階級関係そのものを廃棄することを目指す運動である。支配階級（ブルジョワジー）を打倒すること（だけ）が目的ではない。プロレタリアートの階級闘争は、自分自身――プロレタリアートなるもの――を存在させる社会的・経済的条件を除去し、克服しなくてはならない。プロレタリアが階級闘争に勝利したあかつきには、もはやプロレタリアは存在しなくなるはずだ。

プーチンの戦争は、もちろん、ロシアが大国として承認されることを目指しているのであって、階級闘争だけがもつこうした意味での過激さ、このような意味での自己否定への衝動をいささかももってはいない。だが、繰り返し述べているように、プーチンの軍事侵攻は、「文明の衝突」の構図では説明できない過剰な部分、そうした説明からは逸脱する歪みがある。その過剰さ、その歪みの原因を探れば、それは、（客観的にみれば）階級闘争にある。

別の言い方をすれば、プーチンの究極の「敗因」は、戦いを、階級闘争としては実行できなかったことに、つまりきわめて暴力的な文明の衝突としてしか実行できなかったことにある。ただし、これは、プーチンが愚かな政治家だったからそうなったわけではない。現状では、真の意味での階級闘争、階級闘争それ自体、なまの階級闘争は、世界のどこにも現れることはないだろう。なぜなら、今日、誰もが（表向きフクヤマを批判している者も含めて）、現在がすでに「歴史の終わり」であることを受け入れてしまっているからだ。「歴史の終わり」の受容とは、資本主義が最後の選択肢であるということを、公理のような絶対の前提としてしまうことを意味している。階級闘争は、いま述べたように、資本主義の定義的な要件であるような生産関係の否定を含んでいるので、資本主義を受け入れてしまえば、もうそれ自体として組織され、実行されることはない。しかし、だからといって、階級闘争は存在しない、ということにはならない。階級闘争は、ほかのさまざまな闘争に歪みや過剰性を宿らせる作用素として存在しているのだ。階級闘争は、さまざまな運動や闘争に——当事者には自覚されることなく——寄生している。

*

資本主義を絶対に捨てられない前提としているのは、プーチンだけではない。プーチンと戦っている西側も同じである。そのことは、西側が、とりわけヨーロッパ諸国が、ロシアに厳しい経済制裁を課しつつ、ロシア産の石油や天然ガスの輸入をやめられなかった、という事実にあからさまに現れている。G7は、ロシアの対ナチス戦勝記念日（5月9日）の直前に、ロシア産原油の輸入禁止を決定したので、やがては——たとえば半年後には――、ヨーロッパや西側諸国は、ロシアから石油を買うのをやめるのかもしれないし、石油についてここまで決めたのならば、天然ガスについても、いずれは輸入禁止を決定し、ある程度の時間をかけて輸入量をゼロにまで削減するのかもしれないが、しかし、ロシアがウクライナに侵攻し、実質的には西側とロシアが戦争状態に入ってからも、ヨーロッパは、ロシアから化石燃料を輸入し続けていたという驚きの事実は残る。侵攻開始から2か月余りを経た5月初めの段階で、ヨーロッパが化石燃料代としてロシアに支払った額は、約470億ユーロ（約6・4兆円）にも上る。ヨーロッパは、武器を供与するなどウクライナを支援したが、同時に、ロシアの軍事費を調達してやっていたことになる。

西側諸国は、エネルギー価格の高騰ばかりを心配している。そのこととの関係で、ロシア産の化石燃料の輸入量を決めることは、しかし、結局、資本主義市場とウクライナとを天秤（てんびん）にかけているに等しい。ウクライナを応援しよう、しかし市場が決定的に破綻（はたん）しない限りで、と言っていることになるからである。

二段階の解決

われわれは皆、「歴史の終わり」を生きていると思っている。そのため、紛争は必然的に「文明の衝突」の様相を帯びることになる。先に述べたように、現状に不満をもって自己主張する者にとって、その主張を正統化する源泉は――他者と自分自身の両方を納得させることができる根拠は――文化的なもの（宗教や民族）しかないからだ。しかし、戦争を開始した当事者たちを過剰に駆り立て、衝突にいびつなかたちを与えている真の原因は、その文化的なものとは別のところにある。そうだとすると、われわれは今から心しておかなくてはならない。真の解決は二段階になるはずだ、ということを、である。最初に暫定的な、しかし偽の解決がやってくる。ほんとうの解決は、その先にある。

まずは、ウクライナを全力で支援しなくてはならない。しかし、ここで熱心であればあるほど、ウクライナが、あるいは西側が、ロシアに軍事的に勝利したとき、問題がすべて解決したと思いがちだ。しかし、この段階の勝利は、真の解決のための必要条件だが、十分条件ではない。

ウクライナ（西側）が仮に勝利したときに得られることは、まだ、文明の衝突の枠内のことである。過激な戦争は収まったとしても、内と外との両方に葛藤を孕んだ諸文明の共存が得られるだろう。つまり、衝突は、とりあえず困らない範囲に、物理的暴力を使ってでも抑制される。「困らない範囲」とは、グローバルな市場の働きを阻害しない程度に、ということである。

しかし、問題の真の原因は、まさにその資本主義的な市場にあるかもしれないのだ。資本主義が内在させている、われわれの普遍的な連帯に対する破壊的な作用こそが、つまり階級の分化を生み出す搾取の関係こそが、戦争というかたちで現れた問題の真の原因かもしれない。最初の解決に魅了され、それに満足してしまうと、その最初の解決が、真の解決を隠すスクリーンのようなものになる。一次試験に通らなければ、二次試験に行くことができないが、一次試験に熱心に取り組むと、一次試験を通ったという通知を、合格の通知ととり違えてしまう。

＊1　サミュエル・ハンチントン『文明の衝突』鈴木主税訳、集英社、1998年。

＊2　ついでに指摘しておけば、プーチンが重用している怪しげな民間軍事組織ワグナー・グループ、正規軍とは別に活動しているこれら傭兵(ようへい)の集団は、ナチスの親衛隊や突撃隊、あるいはイタリア・ファシスト党の黒シャツ隊を、連想させるところがある。もちろん、ワグナーのメンバーは、金目当ての傭兵——外国人を多く含む傭兵——なので、ナチスやファシスト党に所属していた親衛隊等の非正規軍とは根本

的な性格を異にしている。だが、どうしてこの組織の名前が、「ワグナー」なのか、という点には注意を払ってもよい。この名前は、ヒトラーが、作曲家ワグナーを偏愛していたことに由来する。

＊3　フランシス・フクヤマ『歴史の終わり』上・下、渡部昇一訳、三笠書房、1992年。

＊4　ハンティントンが、「文明の衝突」というアイデアを*Foreign Affairs*に発表したのは、1993年である。フクヤマが、*The National Interest*に、「歴史の終わり」という展望を発表したのは1989年で、これが著書へと拡張されたのは1992年である。

＊5　Slavoj Žižek, *Like a Thief in Broad Daylight*, Penguin Books, 2018, p.116.

＊6　https://www.bbc.com/news/world-europe-37766688

(3) 偽善ではあるが、しかし……

ロシアを非難しない国々がたくさん

ロシアがウクライナに軍事侵攻を始めて一週間ほど経過したときに、国連総会の緊急特別会合で、ロシアを非難し、軍の即時撤退などを求める決議案が採択された。賛成したのが、141か国、反対が、ロシア自身を含めて5か国。と、この数字だけ見ると、圧倒的な支持を得て、賛成派が勝っているように見える。

が、よく見ると、棄権した国が35か国もある。反対した国と合わせると40か国になる。141:5ならば、前者が後者の30倍近いので圧倒的な勝利だが、141:40であれば、

3・5倍程度なので、決議案賛成派の勝利の程度はずいぶん小さくなる。しかし、国際紛争において、この度の軍事侵攻ほど、どちらに非があるのかはっきりしている例は、稀である。ロシア側が国連憲章や国際法に違反していることは、明らかだ。そういうコンテクストの中で、決議案への賛成をはっきりと示さず棄権するとすれば、それは、「反対」と言っているにほぼ等しいことになる。

棄権した国の中には、中国やインドのように、その思惑や理由がすぐにわかる国もある。しかし、棄権した国の多くは、ラテンアメリカやアフリカの小国である。これらの国々は、ロシアがウクライナに勝利し、たとえばウクライナ領（の一部）を自国に統合したとしても、何か得をするわけではない。そして、もう一度繰り返せば、この紛争は、ロシアとウクライナで、どちらにより大きな問題、より大きな悪があるのか迷うような例ではない。それならば、どうして、かくも多くの国が、ロシアを非難する決議案に、賛成票を投じなかったのか？　とりわけ、ラテンアメリカやアフリカの多くの国々が、棄権というかたちで、賛成することを拒否したのはどうしてなのか？　理由は、ロシアを非難する西側諸国の偽善性にある。

西側は、民主主義や人権、あるいは国際法の遵守などを唱えている。その主張のさらに先には、自由と平等を尊重する普遍的連帯の理念がある。まさにそうした理念に基づいて、ロシアのウクライナへの侵攻は批判されている。が、しかし、アメリカをはじめとする西側がやってきたこと、やっていることをよく見るとよい。彼らは、「西側」に象徴される理念に反すること、まさにその正反対のことを、いわゆる「グローバルサウス（第三世界）」に属する諸国に対して行なってきた。西側諸国は、アフリカやラテンアメリカ諸国を、そしてアジアの多くの国々を植民地化し、また経済的に搾取してきた。今日でもそうした搾取は、実質的には続いている。要するに、国連決議に賛成しなかった国々の多くは、西側諸国の広い意味での植民地主義によって政治的に抑圧され、経済的に搾取されてきたのだ。彼らは、掲げている理念とは真逆の仕方で自分たちを搾取してきた（搾取している）連中を、積極的に応援する気にはとうていなれない。

付け加えておけば、さらに一か月余り後の、国連人権理事会での「理事国としての資格」をロシアから剝奪する国連決議に関しては、以上に述べたことがより露骨に表れている。この決議案に賛成したのは93か国、賛成しなかったのは82か国。[*1] 拮抗している、と言っても過言ではない小差である。アジア、アフリカ、中東、ラテンアメリカ等のグローバルサウス諸国の多くが、あからさまに人権侵害を犯しているロシアを、人権理事会から排除することに、積極的には賛成しなかったことになる。たとえば、日本に地理的に比較的近い国々としてASEANの加盟国を見るならば、賛成したのは、10か国中2か国だけである。[*2]

どうしてなのか。少なくとも、これらの国々から見れば、ロシアの人権侵害を非難する西側諸国も、今ロシアがウクライナに対してやっているのと同じような人権侵害を、自分たちに対して行なってきたように感じられるからである。西側諸国は偽善に対する代償を支払わされたことになる。

ロシアはグローバルサウスの同盟者か?

ロシアの側はどうなのか。実は、プーチンのロシアは、西側のこうした弱点を見据えていたともいえる。ロシアは、西側諸国に何世紀にもわたって抑圧されてきた諸国の同盟者として、自らを提示しようとしてきたのだ。具体的には何をやってきたのか。貧しい発展途上の国々の盟友であるかのようにふるまう最もわかりやすい方法は、それらの国々に経済援助をしたり、投資したりすることである。中国が実際にそうしているように、である。しかし、それほど経済力のないロシアには、それはできない。では何をやってきたのか。

2010年代に入ってから、プーチンのロシアは、グローバルサウスのいくつかの国々に対して、軍事や治安の面で援助しようとしてきたのだ。たとえば大統領の警護、反政府活動の取り締まりや、反政府軍との戦いに積極的に協力しようとしてきた。武器供与や軍事訓練等による間接的な援助も行なってきた。この種の援助の中で最も規模が大きいものは、シリアのアサド政権を支持する軍事的支援である。ロシアは、アサド政権を応援し、反政府側を攻撃してきた。

他に目立つのは、アフリカのいくつかの国の政府への軍事的援助である。派遣されているのは、ロシアの正規軍ではなく、主として、ワグナーなる傭兵の組織である。前節で述べたように、ワグナーは、実質的にはプーチンの配下の軍隊であることはまちがいないが、公式には民間の組織で、政府との関係も秘密にされている。[*3] アフリカの紛争地域に軍事的・政治的に介入するのは、普通は、旧宗主国だが、アフリカに植民地をもっていなかったロシアは、そのような典型的な仕方で介入することはできない。しかし、いくつかの紛争地域では、旧宗主国は、政府と反政府のどちらのグループを支援したらよいのかわからなくなったり、負担が大きすぎて手に負えなくなったりしている。こういうとき、ロシアは、政府側に接近し、援助を申し出るのである。ワグナーの傭兵が展開しているアフリカの諸国は、マリ、リビア、スーダン、中央アフリカ、モザンビーク等である。

ロシアは、何のためにそんなことをやっているのか。西側、とりわけアメリカに対抗して、「大国」としてのロシアの国際的な影響力を拡大するためである。これは見ようによっては、西側諸国の長年の植民地主義への反抗に、グローバルサウスに対する抑圧への闘争に、ロシアが加担している、ということになる。前節で、私は、ロシアの、ウクライナや西側への闘争は、広義の階級的搾取に由来するルサンチマンや不遇感に由来している、と論じた。プーチンのロシアが、西側の植民地主義に苦しめられてきた国々を支援するのも、階級闘争的なものの痕跡である。

では、プーチンのロシアは、国際的な階級闘争に、「プロレタリアート」的な人民を助けて参加しているのかというと、そうではない。前節でも述べたように、階級闘争は、闘争や戦争に歪みや過剰性を与える因子として利いているのだが、実際に生起していることは、階級闘争とはまったくの別物である。シリアやアフリカ諸国へのロシアの軍事支援に関しても、同じことが言える。それは、プロレタリアートによる階級闘争どころか、その完全な反対物だと言ってよい。ロシアは、たいてい、現地の独裁的な政権を軍事や治安の面で援助し、民衆の抑圧や、反政府活動の弾圧に積極的に加担しているからだ。したがって、ロシアは、西側の植民地主義に対する怒りや憎しみに便乗して、いくつかの国々を助け、自らの影響下に置こうとしているわけだが、そのやり方は、西側の植民地主義的な介入とほとんど変わらない。

そもそも、西側が犯してきた帝国主義的侵略や植民地主義的搾取に関して、ロシアはイノセントであるという歴史認識が根本的に誤っている。ロシアの植民地は、目立たない。ロシア本体と隣接していたり、陸続きだったりするからだ。つまり遠く海外にあったわけではないからだ。18世紀ロマノフ王朝のとき――とりわけエカチェリーナ二世の時代――、ロシアは版図を拡大し、周辺を植民地化していった。東はシベリアから、さらにベーリング海峡を越えてアラスカ、そして北カリフォルニアにまで領土を拡張したのだ。南ウクライナも、エカチェリーナ二世のロシアによって征服された。これらの「植民地」のある部分は、その後、ロシアから切り離されたり、独立したりしたが、シベリアなどかなりの部分が、現在もロシア領の中にある。ロシアの中心から地続きなので、征服された植民地であったことが忘れられているだけである。

ロシアが帝国主義や植民地主義の罪から自由であったなどと考えているとしたら、それは笑止と言うほかない。そして今、ロシアは、ウクライナを解放する、と主張しつつ、まさにウクライナを実質的に植民地化しようとしている。

ロシアとグローバルサウスとの関係に戻るならば、全体として、次のような逆説が生じている。ロシアは、西側に抑圧されてきた諸国の同盟者になろうとするが、実際には、西側諸国に匹敵する、ときにそれ以上の抑圧者になってしまう、と。言い換えれば、ロシアは、自分もグローバルサウスの抑圧に加担しているのに、その責任はすべて西側にあるかのようにふるまっているのだ。この論法の極限のケース、笑えない冗談のような事態が、現在の戦争の最中に起きている。ロシアの軍艦に阻まれて、ウクライナの小麦を海路で輸出できなくなっている。このままでは、世界的な食糧危機、大規模な飢餓に至る可能性がある。主な犠牲者は、ロシア人でも、ウクライナ人でも、西側の先進国の国民でもない。アジアやアフリカの、つまりグローバルサウスの何億人もの民衆である。このことに関して、プーチン大統領やラヴロフ外相をはじめとするロシアの政府要人は、繰り返し述べている。食糧危機の責任は自分たちにはない、悪いのはウクライナや西側諸国だ、と。[*4] これほどふざけた主張は、めったに聞くことはできない。

偽善が可能な世界

西側とロシア、それぞれのグローバルサウスとの関係を見てきた。西側にはとてつもない偽善があって、グローバルサウスの共感や賛同を呼ぶことに失敗している。ロシアは、その偽善からくる不満を利用して、グローバルサウスの保護者であるかのように自分を見せようとしているが、それも大きく失敗して、もうひとつの抑圧者になってしまっている。[*5]どちらにも問題がある。どちらも十分に正義にかなっているとは言い難い。

しかし、どっちもどっち、ということにはならない。西側の方がはるかによい。西側の方がはるかに正義に近い位置にいる。われわれは西側の方を全力で支援すべきである。どうしてか？　偽善は確かに悪い。しかし、偽善が可能な状況は、偽善が原理的に不可能な状況よりはずっとよいのだ。どういう意味なのか、説明しよう。

西側のこれまでの言動は偽善的だった。つまりダブル・スタンダードになっている。ヨーロッパの同胞であるウクライナに対して使っている基準と、彼らが後進国だと見なしているグローバルサウスに適用している基準とが異なっている。ロシアが作り出そうとしているのは、偽善のない世界である。それは、誰もが誠実で、嘘やごまかしのない世界、という意味ではない。偽善が原理的に不可能な世界という趣旨である。

プーチンのロシアは、文明の衝突のかたちで戦争を遂行している。それは、「ロシア的なもの」という文化的な特殊性、文化的な差異に依拠し、それが最高度に尊重される世界――ロシアが「大国」と見なされる世界――を目指している。こういう世界では、偽善というものが意味をなさない。ここで見てきたような偽善が生じるのは、誰にも適用されるような倫理の普遍的基準がある場合である。そのような基準を前提として認めているのに、一部の人に対して、それが適用されなかったとき、偽善が生じる。これに対して、特殊性や差異への権利や承認を要求し、最終的にそうした特殊性や差異が制覇する世界を求めるとどうなるのか。そうして実現される世界の内部では、偽善なるものが、そもそも定義上ありえない。なぜなら、偽善という判定の前提となる、普遍性を要求する基準がないからだ。

偽善は大問題である。しかし、偽善には希望がある。偽善は、まさにそれを偽善と見なす基準に依拠して克服することができるからである。*6 偽善をなす者は、自らがかかげ、引き受けている倫理的な基準に反していることを、自ら自覚できる。彼または彼女は、少なくとも、他者から指摘されたとき、それがまさに偽善であり、悪いことであると認識し、自らの行いを恥じることになるだろう。「偽善」という判定は、他者に（だけ）属する基準によってではなく、自分自身も引き受けている基準によってくだされているからだ。

もちろん、われわれは偽善を克服しなくてはならない。それは、偽善が論理的には可能だが、現実には存在しない世界を実現することを意味している。ロシアの暴挙を非難する国連決議に賛成しないグローバルサウスの国々が何十か国もあるということは、われわれの現在がそのような世界からまだ遠いところにあることを意味している。この戦争で賭けられているのは、ウクライナの領土だけではない。どれだけのグローバルサウスの人民が、喜んで支援し、賛同するのか。その比率こそが、真の争点である。

＊1　反対24か国、棄権58か国。

＊2　フィリピンとミャンマーだけが賛成。ベトナムとラオスは反対。残り6カ国が棄権。

＊3　1章第2節の脚注2（66ページ）を参照。

＊4　たとえばラヴロフ外相は言っている。ウクライナが機雷を除去したら、オデーサからの輸出を認めてもよい、と。これは、驚くほど厚顔無恥な発言だ。ウクライナは理由もなく機雷をばらまいているわけで

はない。ロシアの軍艦がなければ、機雷は必要ない。

＊5　ここで付け加えておこう。中国もロシアと同じようなことをねらっている。そして、中国は、ロシアよりはるかに上手にやっており、ロシアよりは成功している、ということに注意しなくてはならない。中国による援助は、主として経済的なものだからである。ロシアにできないことが中国にはできるのは、中国がロシアより、資本主義の「優等生」になっているからだ。

＊6　偽善のこうした可能性については、以下を参照。Slavoj Žižek, "We must stop letting Russia define the terms of the Ukraine crisis", *The Guardian*, https://www.theguardian.com/commentisfree/2022/may/23/we-must-stop-letting-russia-define-the-terms-of-the-ukraine-crisis

(4)〈戦争の最も望ましい終わり方〉をめぐって

戦争の理想的な終息について

ロシア―ウクライナ戦争の理想的な終息に関して、私はほとんどの人と同じ考えをもっている。ロシア国内で大規模な反戦運動、反政府運動が起こり、プーチン政権を倒すこと。そして戦争を望まない新しい政権がロシアに樹立されること。世界中の何十億もの人が、これが最も望ましい解決だということに同意するだろう。

しかし、実際には、こうしたことが起こりそうな状況ではない。軍事侵攻の直後には、希望が見えたときもあった。政府による厳しい弾圧があるにもかかわらず、ロシア各地で戦争反対を訴えるデモが起き、ロシア市民の中に、プーチン政権による侵攻を支持しない者がかなりの数にのぼることを示したからだ。だが、結局、反戦デモは、政権を脅かすよりもはるかな手前で、勢いを減じてしまった。

たとえば、4月下旬の時点でみた場合、独立系世論調査機関（レバダ・センター）の調査によると、ロシア人の7割以上が「特別軍事作戦」を支持し、8割以上が「プーチン政権」を支持している。もちろん、政府を支持していないと他人に知られると、警察に拘束されたり、職を追われたり、等々、さまざまな不利益や危険を被る国であることを考慮するならば、実際に政権や軍事侵攻を積極的に支持している市民の数は、これよりはるかに少ないはずだ。しかし、それでも、世論調査で反対を表明することすら多くの人が恐れている状況では、大規模な反戦デモが各地で連続的に起きるとは思えない。[*1]

もちろん、戦争に反対し、プーチン政権に批判的なロシア市民は、少なからずいる。この戦争そのものも含め、予想外のことも起きる。希望をすべて捨ててはならない。が、繰り返すと、ロシア国内で大規模な反政府運動が起きて、すぐにプーチン政権が崩壊する、という状況ではなさそうだ。

が、それでも、この「理想的な終息」について考えることには、思想的・政治的な意味がある。それが実現する可能性がきわめて低いとすると、それはなぜなのか。何がないからなのか。何が欠落しているのか。そのことがわかるからである。

反政府運動――その理由が重要だ

さて、ロシア国内での反政府運動によって、戦争が終結し、プーチン政権が崩壊するのが望ましいと――誰もが思うことを――書いたわけだが、ほんとうは、どんな理由によって反政府運動が起きるかが重要である。同じ反政府運動だったとしても、それが起きている理由によって、「望ましさ」の程度が異なってくる。

ところで、誰にとっての望ましさなのか？　実は、私たちにとっては、どんな理由でロシア人が反政府運動を起こそうが、どんな動機で反政府デモに参加しようが、直接的な影響はあまりなく、何であれ、ロシア国内で政権を根底から変えるような運動が起きるならば、それがよい。ここで「私たち」とは誰か。ここでいう「私たち」とは、「西側」が代表する価値観の最も良質な部分に賛同し、ウクライナのサイドに立つ者のことである。

では、反政府運動の「理由」の如何（いかん）によって、誰にとって望ましさの程度が変わるというのか。ロシア人にとって、である。ロシア人にとっては――もし彼らが反政府運動を起こすとして――、どんな理由で運動を起こすことになるかによって、その運動の意味が大きく異なってくる。そして、ロシア人にとってよいことは、私たちにとっても最終的には(間接的には)よいことである。どのような趣旨なのか、説明しよう。

*

ロシアで、戦争反対の運動は起きないのか、とわれわれが考え、期待しているとき、たいていの人の念頭にあるのは、次のような状況であろう。経済制裁によって、ロシアの一般の市民の生活が苦しくなり、政府を批判するようになる。あるいは、自分自身や自分の息子が戦場に送られることが嫌で、軍事侵攻を進める政府を拒否する。私たちは、こうしたことを、ロシア国内での反政府活動に期待している。

これも悪くはない。ロシア人が、プーチン政権の方針に唯々諾々と従い続けるよりは、ずっとよい。ロシアの敗北を望む私たちにとってだけではなく、ロシア国民にとっても、その方がよい。実際、反政府の大規模な運動が実際に起きるとしたら――起きそうにもないが、それでももしかして起きるとしたら、こうしたことが理由かもしれない。経済制裁にともなう困窮が耐えられないとか、徴集兵だった自分の息子が戦場に送られ、戦死したことが許せないとか、そうした理由で、ロシアの人々がクレムリンに決死の抗議をする……。

*

だが、反政府の理由がこれだけだったら、それは、ロシア人にとってベストのことではない。「ありそうもなさ」のレベルがますます高まるのだが、さらに以下に述べるような別の理由が加わる方がより望ましい。しかもできることなら、その「別の理由」の方が主になることが望ましい。

現在、ロシアは一方的に軍事侵攻し、ウクライナの人々を苦しめ、殺害している。もしロシア人が、ウクライナ人が戦争で経験している苦しみに対する同情や共感——というよりむしろ共苦（コンパッション）——から（も）、戦争に反対し、自国政府を倒そうとしたらどうだろうか。さらに、自分たちの政府がこのような戦争を遂行していることを恥じて、反政府の運動が起きたとしたらどうだろうか。

これは、いろいろな意味で、ありそうもないことだ。そもそも、ロシアの一般市民がそのような思いをもつためには、正しい事実を知っていなくてはならない。つまり、正確な情報をもっていなくてはならない。が、ロシア政府が、あるいは国営放送をはじめとするロシアのマスメディアの多くが、フェイクのニュースや情報を自国民に伝えている。たとえばロシア人は——全員ではないかもしれないが多くのロシア人は——、犠牲者はウクライナ人ではなくロシア系住民であり、ウクライナ政府はファシストだと思っている。

ただ、この点については留保が必要である。情報の拡散を完全に遮断することは難しい。特に、インターネットがある現代においては、情報の完全な遮断は不可能である。だから、ロシア人の多くは、戦争が、ロシア国外では、ロシア政府や国営放送が伝えるのとは異なった内容で報道され、語られていることを知っているだろう。そのロシア人が国内にいたとしても、さまざまな仕方で、ある程度は、そうした国内外の報道のされ方の違いを知ることになるだろう。また、少なくとも、ロシア人は、当局が、いくつかの情報へのアクセスを禁止しようとしている、ということを知っているだろう。

当たり前のことだが（当たり前のことだから？）十分に指摘されていないことは、「誤った情報が伝えられているから、ロシア政府を支持している」という順序とは逆の因果関係もあるということだ。つまり、自国政府を支持しているから——あるいは少なくとも自国政府を極端に悪いとは思いたくないから——、誤った情報を真実として受け取っている、ということもある。

たとえば、外国では、「ブチャでロシア軍によるひどい戦争犯罪があった」と報道されており、ロシアの国営放送では、同じことを「ウクライナ軍による自作自演」だと伝えている。多くのロシア人は後者をとるだろう。前者を認めることは苦痛だからだ（自分の国の軍隊がそんなにひどいことをしているとは信じたくない）。特に根拠がなければ、人は、心地よい情報、自分の願望にそった情報をとる。フェイクニュースを信じているということは、戦争支持の原因であるだけではなく、少なくとも部分的には、その結果でもある。

だから、ロシアの国内にいる人々は正確な事実を知らないので、反政府の運動は起きない、という命題は、完全にまちがっているわけではないが、部分的な妥当性しかない。「正確な事実を知らない」ということは、「反政府運動が起きない程度にはロシア政府を支持していること」の結果でもあるからだ。

ロシア人にとってよいこと

さて、本筋に戻ろう。ロシア人が、たとえばウクライナの犠牲者への共苦や自国政府の不正義に対する恥の意識から、反政府運動を起こしたとする。同じ反政府運動であったとしても、このような理由が加わっていれば、それは、われわれにとって以上にロシア人に、と、っ、て、よい。

一般に言われている普通の動機――つまり経済制裁にともなう生活苦とか自分や身内が戦場に送られることへの拒否等――は、基本的には、利己的なものである。自分たちの利害や幸福が侵されていることへの抵抗だ（繰り返し言っているが、これが悪いわけではない。むしろよいことだ）。ウクライナの人々への共苦や自国政府の戦争が誤っていることへの恥の意識は、これより高い倫理性をもっていることは、明らかであろう。しかし、私は、「こちらの方がより倫理的なのだから、こちらにしたら……」と言っているのではない。並外れて倫理的な人が、ロシア人の中から大量に出てくることを期待しているわけでもない。

私はここまで繰り返し、「ロシア人にとって」ということを強調してきた。その本意を説明すべきときだ。私は、第1節で、この戦争を駆動している心性は、プーチンの、（さらに一般化すれば）ロシア人の、ヨーロッパ（西側）に対する深い劣等感とそれに由来するルサンチマンだと述べた。

では、その羨望の対象となっている「ヨーロッパ」とは何か。ヨーロッパという文明を定義している要因は、煎じ詰めれば、キリスト教、西側のキリスト教（カトリック＋プロテスタンティズム）しかない。キリスト教の教えは、きわめてシンプルで、ひとつしかない。隣人愛である。この「隣人愛」の世俗化された近代的な表現が、今日、「自由と平等」、「博愛（普遍的連帯）」、「民主主義」等の政治的理念である。

　ほんとうは「ヨーロッパ」といってもさまざまな側面があり、歴史的にみれば、恥ずべきこともたくさんやってきた。たとえばファシズムは、明らかにヨーロッパの一産物である。しかし、もし「ヨーロッパ」に、他人——たとえばロシア——から羨ましがられるほどのよきものがあるとすれば、それは、今述べたような諸理念をおいてほかにあるまい。「隣人愛」に源泉をもつこれら諸理念は、ヨーロッパ的なるものの最良の部分である。

　では現実のヨーロッパは、その理念にそったことを実現しているかといえば、そんなことはない。ヨーロッパが自ら、その理念を裏切ってきた。前節で述べたように、ヨーロッパの行動は、非常に偽善的なものだった。ヨーロッパの偽善は、たとえば植民地主義や帝国主義のようなかたちをとって現れた。それらは、ヨーロッパ性の最良の表現である諸理念と、まったく矛盾する行動であった。

　ロシアに戻ろう。もしロシアの市民・民衆が、ウクライナの犠牲者の苦しみに同情して自国政府に反抗したとしたら、あるいはロシア政府の侵略的な戦争を恥じて反政府の運動を起こしたとしたら、それが意味していることは、ロシア人が、まさにそのヨーロッパの最良の部分を代表する理念を、ヨーロッパ人以上に忠実に実行していることになるのではあるまいか。ヨーロッパの方は、偽善的にも中途半端にしか実行していない理念を、ロシアの一般の市民や民衆が、自国政府への批判や反抗を通じて、実現したことになる。このときはじめて、ロシア人は、ヨーロッパに対する劣等感を克服することになるだろう。なぜなら、もしそうなれば、圧倒されるのは、ヨーロッパの方だからだ。

西側に戦争をしかけて、仮に多少の戦果をあげたとしても、そんなことでは、ロシアの根深い劣等感は解消されない。したがって、ロシア側に多少の獲得物があったかのような妥協や停戦の合意が成り立っても、ロシア側の攻撃衝動は消えてなくなりはしない。ロシア人にとって最もよいのは――プーチンにとってではなくロシア人にとって最もよいのは――、自らがヨーロッパ以上のヨーロッパたりうることを示し、自国政府を打倒し、戦争を終結させることである。

愛国と普遍

が、こんなことは起こりそうもない。あまりに理想主義的だ、と反論されるだろう。その通りである。私もそのことは百も承知である。しかし、慎重に考えるべきことがある。

「こんなことは起こらない」と反論するときの最大の根拠は何だろう。今述べてきたような行動をロシア人がとることはあるまい、と主張するとき、その「ありえなさ」を規定する究極の原因は何であろうか。

それは、ロシア人のナショナリズムや愛国主義である。別に極端なショーヴィニストや極端なナショナリストでなくても、普通程度に愛国的な人であれば、ウクライナ人の犠牲者よりも、自国の苦難や犠牲者の方を優先させるのが当たり前ではないだろうか。ごく普通に愛国的な人であれば、ウクライナの犠牲者のことを心配して、自国の政府を攻撃したりはしないだろう。そう考えたくなる。

私たちは、どうしてロシア人はこの戦争を支持しているのだろうか、などと訝るわけだが、普通の愛国主義者、普通のナショナリストならば、自国の戦争を応援し、自国の勝利を望むだろう。そうだとすると、ロシア人自身が、戦争に反対し、プーチン政権を倒せばよいのに、と私たちが思うとき、私たちは、ロシア人に対して何を期待していることになるのだろうか。ナショナリズムや愛国主義をかなぐり捨てた、ヒューマニズムやインターナショナリズムに立脚したロシア人が大量に出てくればよい、と思っているのだろうか。

だが、抽象的なヒューマニズムや抽象的なインターナショナリズムには、人を動かす力はない。それらは、胡散臭いものに見えるからだ。そう見えることには、根拠がある。大事なことなのに十分に自覚されていないことなので強く言っておこう。こういうとき、つまり戦争のようなコンテクストにおいて、同胞（この場合はロシア）よりも人類が、「我が国」よりも国際秩序の全体が大事だ、と主張する人は、信用できない。そういう人は、同胞ではなく人類を愛しているのではなく、実は誰も愛していないからである。同胞が苦境にあるとき、「同胞などどうでもよい、大事なのは人類だ」とうそぶいている人のことを想像してみるとよい。抽象的なヒューマニズム、インターナショナリズムは、かのキリスト教的「隣人愛」の端的な現代的表現に見えるが、実のところ、その反対物である。

*

さて、するとどうなるのか。私は、ロシアの一般の市民や民衆が、「ヨーロッパ以上のヨーロッパ」たりうることを行動で示すことこそ、真の問題の解決だと述べてきた。その行動とは、戦争への反対と政権の打倒のための運動というかたちをとる、と。しかし、こんなことは、最後には、ロシア人の愛国主義やナショナリズムに阻まれ、見果てぬ夢に終わる、ということなのだろうか。そうではない！

私は、ここまで意図的に「普通の」愛国主義者、「普通の」ナショナリストという表現を繰り返し使ってきた。「普通」を超えた、真の愛国主義、ほんもののナショナリズムのことを考えればどうなのか。真の愛国主義者は、プーチンや、プーチンの世界観を熱狂的に支持する者のことではないか、と思うかもしれないが、そうではない。ロシアをほんとうに愛していれば、ロシアに普遍的な正義にかなうように行動してほしいと願うはずではないか。ロシアを真に愛するナショナリストは、自国が他国に侵略し、他国民を苦しめていることを恥じるはずではないか。

つまり、愛国主義、ナショナリズムを通って普遍主義へと至る道がある。私たちがほんとうに期待できるのは、ロシアに対して愛国的であるがゆえに、ロシアが普遍的に妥当な正義や理念に立脚して行動することを欲するロシア人たちである。ただの愛国主義者、ただのナショナリストではダメである。いきなり普遍主義に飛びつく者もダメである。私たちの希望を託すことができるのは、ナショナリズム、愛国主義を経由し、それを突き抜けるようにして普遍主義に到達できる人たちである。そういう人たちが十分にいれば、そして彼らの間に一定の連帯が形成されれば、彼らは、戦争に反対し、政権を打倒するだろう。

彼らが成功したときには、国家間の戦争としては、ロシアが負け、ウクライナと西側が勝利したことになる。が、そのとき、ロシアの人民も勝利したことになるのだ。なぜなら、勝つのは、普遍的で包括的な自由や平等だからである。ロシアの国民も権威主義的な政府から解放され自由を享受する者たちの中に含まれている。

日本人にとっての教訓

だが、私は、どうしてこんなことを書いているのか。ロシア人がこの文章を読むことは絶対にあるまい。ならば、なぜ、こんなことを熱心に説いているのか。実は、私は、これを日本人のために書いているのだ。

私たちは、外から戦争を見ながら、ロシア人は、どうしてあんな愚かな独裁者に従っているのか、と思っている。戦争に反対し、プーチンを政権のトップから引きずりおろすことができる、まともな市民がもっとたくさんいればよいのに、と。そのとき、私たちが期待を寄せている人間像を純化させてみると、それは、愛国的であるがゆえに普遍主義に立脚することができる人間である。それが、私たちが思い描いている「まともな市民」である。抽象的なヒューマニストやインターナショナリストは信頼できない。ただの愛国主義者やナショナリストも、嫌悪の対象だ。

では、日本人はどうなのか。日本人は「まともな市民」だろうか。残念ながらそうではないことがわかる。日本人には、真の愛国の先に普遍性がある、という発想はまったくない。日本人は、基本的には、ただの愛国主義者、凡庸なナショナリストである。日本人にとっては、政治が準拠すべき原理として、「国益」という特殊利害以上のものはない。

たとえば、ロシア－ウクライナ戦争においてウクライナの側に立つにあたって、日本人は、あるいは日本の政治家は、それが国益にかなっているかだけを考えている。何をすることが普遍的な正義にかなっているのか、という発想はない。憲法についての論議でも同様である。護憲派にせよ、改憲派にせよ、自分たちのやり方の方が日本にとって得であるということだけで説得しようとしており、何がグローバルで普遍的な正義に貢献できるのか、という観点をもってはいない。

私たちは、今、毎日、さまざまなメディアを通じて、ロシアとウクライナの戦争を見ている。そこから得られる教訓のひとつは、ただの愛国、国益を超える目標をもつことがない凡庸なナショナリズムは、つまり普遍性を放棄している愛国主義やナショナリズムは、倫理的にまったく評価できない最悪の態度だということだ。それならば、私たち自身はどうなのか？

＊1　油本真理「ウクライナ侵攻とロシア国内の反戦デモ」。https://www.ide.go.jp/Japanese/IDEsquare/Eyes/2022/ISQ202220_010.html

この論文が発表されたのは4月である。それまでの反戦デモの経過の検討、プーチン大統領再登板以降の抗議運動との比較等の後に、油本はとても悲観的な結論を導き出す。「ウクライナ侵攻後のロシアにおいては抗議運動が拡大する余地がほとんど残されていない」

2章

中国と権威主義的資本主義

――米中対立、台湾有事と日本の立ち位置

初出　2章（1）『一冊の本』2021年　6月号
（2）同　同　8月号
（3）同　同　10月号
（4）同　同　12月号

（1）中国はどうして台湾に執着するのか

世界一、親米度と親中度の差が大きい国

2021年4月中旬に日米首脳会談があった。日本の菅義偉（すがよしひで）首相（当時）は、バイデン大統領が就任後、直接会見した最初の外国首脳だ。ということで、21世紀に入ってから著しく自信を失っていた日本人にとっては自尊心が少しだけくすぐられるものがあった……かのように（日本国内では）報道された。とはいえ、もしこれで、日本人が「アメリカは日本を重視しているね」などと思って満悦しているのだとすれば、これはまったく笑止である。アメリカは特に日本が立派だと思っているわけでもなければ、好きなわけでもない。

新大統領が最初に会う外国首脳として日本の首相を選んだ理由は、報道されている通り、「中国」にある。私がここで、バイデンの最初の会見の相手が日本の首脳だったことに、日本人がわずかでも満足感を覚えているとすれば、それはいささか恥ずかしいことだと述べているのは、「日本人にとってのアメリカ」と「日本人にとっての中国」との間に微妙な相関関係があるからだ。まずはこの点を説明することから始めよう。

日本人は、21世紀に入ってから、自国に対する自信や自尊心を急速に失ってきている。このことを実証できるデータもあるのだが、そんなものをわざわざ示さなくても、日本人ならばその点はおおむね実感できているだろう。実のところオリンピックは、自尊心回復の（小さな）機会になるはずだったが、今やそれも望めない。オリンピックを開催しても、開催しなくても、「世界中の人々から称賛される」という状況ではないからだ。[*1]

ところで、日本は、「親米度」と「親中度」の差が、世界で一番大きい国である。つまり、日本人はかなり親米であり、かつとても嫌中である。このことは、アメリカのシンクタンク・ピュー研究所の調査によって、はっきりと確認できる。同研究所は、2019年に、この点に関連した国際比較調査を実施した。[*2] この調査の結果として、「アメリカに好意をもっている人の割合（%）」から「中国に好意をもっている人の割合（%）」を引いた値が発表されている。注意すべきは、「アメリカと中国とどちらがより好きですか」と質問しているのではないということだ。アメリカへの好感度と中国への好感度をそれぞれ独立に質問しており、その上で、前者にポジティヴに答えた者の比率から後者にポジティヴに答えた者の比率を引いているのである。日本は、調査対象となった33か国の中で「1位」である。

この調査によると、世界的に見れば、まだ親米が親中をかなり凌駕している。引き算の値がプラスになる国（親米度>親中度の国）は、33か国中26か国である。だから、33か国の平均値は、当然プラスで、おおむね+10ポイントになる。つまりアメリカ好きと答えた人の割合と中国好きと答えた人の割合の差が、10%くらいになるのが、世界平均である。[*3]日本の値は、この平均値の5倍よりも大きい（54ポイント）。中国との歴史的なつながりも強く、現在でも経済的利益の多くを中国に負っている日本で、かくも、親米度と親中度の差がつくのはどうしてなのか。

＊

それには、きわめてはっきりとした理由がある。ここからは私の推測だが、日本では、親米度と親中（というか嫌中）度の間に、強い結びつきがあるのだ。他のたいていの国にとっては、アメリカが好きかどうかということと、中国が好きかどうかということは、基本的には独立のことである。しかし、日本では違う。日本では、親米度と親中度の間にはある種の――マイナスの――相関関係があって、両方がともに高くなるのが難しくなっているのである。もう少し解説しよう。

21世紀に入ってから日本人の自国への自信は低下してきていると述べたが、実のところ、日本人の自信が最も高かったのは、1980年頃である。[*4] バブル経済よりも前（その直前）であることに注目しておこう。バブルの頃には、すでに自信の低下が始まっていたのだ。だが、日本人の「自信」の持ち方が、「病的」と言ってもよいほどの歪みを示し始めるのは、世紀転換期の頃からである。[*5] どうして変化したのか。その原因は、おそらく、中国の台頭、とりわけ中国経済の好調さにある。日本人は、長い間、自分たちの国が、非西洋の国々の中で最も豊かであることを根拠にして自信と自尊心を維持してきた。しかし今や、中国は、経済的に日本に追いつき、そして追い抜いてしまった。その差は、ますます広がりそうだ。

日本は、非西洋で――少なくとも東アジアで――最も豊かで、最も重要な大国である……と日本人は思っていたが、今やそうではない。中国の方が豊かで、政治的にも重要な国である。情けないことだが、この事実に対する反作用として、嫌中が高まっている。実際、近代の日本人は宿命的に嫌中だったわけではない。中国が日本よりもずっと貧しかったときには、たとえば１９８０年頃は、８割くらいの日本人が、中国を好きだと答えていたのだ。[*6] 相手が弱くて哀れむべき状態ならば好きだが、強くなると嫌いだというのは悲しいことである。その「嫌い」の原因は、相手の態度や属性にあるのではなく、自分自身の劣等感にあることが明らかだからだ。

　ところで、ここで留意すべきことは、中国の方が日本よりも重要で、大国だとして、どこから見たらそのように見えるのか、ということだ。誰の視点をとったときに、そのように判断されるのか？　それは、主として——すべてではないが主として——アメリカから見て、ということである。戦後長い間、アメリカから見て、日本は東アジアで最も重要な国であった（と日本人は思っていた）。しかし、21世紀になってから、アメリカは、日本よりも中国を重視するようになった。アメリカの東アジア外交の基軸が、「米日」ではなく「米中」になったのだ。アメリカは中国が好きなわけではないが、中国とうまくやっていくことを外交の基本方針とした。中国との関係を良好に保つ上で、日本との関係は何の役にもたたないし、米日関係よりも米中関係の方が重要である……とアメリカ政府は考えてきた。オバマ大統領のときには、この点が特にはっきりしていた。こうして日本人の自尊心は激しく傷ついた。

まとめるとこういうことだ。日本人が自らの存在価値を判断するとき、その判断が帰属する視点は――戦後は――無意識のうちにアメリカに設定されてきた。アメリカから見て、自分に価値があるか、と見てきたのだ。それゆえ、親米は、戦後の日本にとってはデフォルトの前提である。その上で、日本人が今日、自信を失っていることのひとつの（有力な）原因は、その想定されたアメリカの視点から見て、中国の方が日本より重要だということにある。日本人の親米度と嫌中度に相関がある、とはこのような意味である。[*7]

そこで、冒頭の日米首脳会談に戻ろう。アメリカの大統領が真っ先に日本の首相に会ったのは、アメリカにとって、中国がますます重要な大国に見えているからである。だから、もし日本人が、アメリカ大統領から自国の首脳が最初に指名されたことに少しだけ満足感を覚えているとすれば、これは、まったく皮肉なことだと言わざるをえないのだ。もともと、日本人が落ち込んでいたのは、アメリカが中国ばかり気にかけていたからだ。今、アメリカが日本に積極的に声をかけているのも、結局、アメリカから見た中国の重要度がますます大きくなっているからだ。というわけで、日本人が、自国の総理がアメリカ大統領に呼ばれたことを、自分自身の（アメリカにとっての）価値の証であるかのように考えるとすれば、そのとき同時に、アメリカにとっては、日本よりも中国の方がはるかに気になる国であるということも認めなくてはならなくなる。

アメリカと中国——ポジからネガへ

もっとも、情勢には大きな変化もある。何の情勢か？　米中の関係にかかわる情勢である。21世紀になってから、アメリカにとって、中国は、日本よりもずっと重要な国になった、と述べた。この「重要」の意味が、近年——厳密に言えばトランプ大統領の時代の末期から——、ポジからネガへと反転したのだ。バイデン政権は、この点を最初からきわめて明白に示している。

アメリカは中国を大国として認めるようになったが、最初のうちは、中国との間に平和的な関係を築こうとした。中国をすばらしい国だとは思っていなかっただろうが、問題点については目をつむり、友好的に付き合おうと考えていたのだ。しかし、今や中国は、アメリカにとって潜在的な敵国である。重要度の絶対値はますます大きくなっているのだが、それがプラスからマイナスへと反転したのだ。そのため、日本に呼びかけた、というわけだ。中国と対抗するときによろしく、というわけである。

アメリカは、中国を無視できない大国と見るようになってからも、基本的には友好的だった、と述べた。このようなやり方を、外交用語では「関与政策」という。関与(engagement)政策とは、この語の意味とは反対に、政治的には、相手に関与しないことを意味している。中国に細かい文句を言ったり、いろいろな駆け引きをしたりはするが、しかし、正面から対決せず、互いに互いの利益を追求する関係である。[*8]「関与」の反対は、「封じ込め(containment)」である。冷戦のときの、西側陣営の東側陣営に対する政策が封じ込めにあたる。貿易をせず、資本や技術の移転もせず、そして人的交流もなしにする。

2020年7月に、マイク・ポンペオ国務長官(当時)が、アメリカの歴代政権の、対中国関与政策はまちがいだった、と公式のスピーチで発言した。ポンペオ長官は、中国に関与すれば——ということは特に積極的に働きかけずに普通に付き合っていれば——、中国は自然とよく変わるとずっと思ってきたが、それはまちがいだった、と語る。中国を、ほかの国と同じような「普通の国(normal country)」として扱うことはできない、中国共産党からわれわれの自由を守るために、自由な国々は団結して行動すべき時がきた、というのがポンペオのスピーチの趣旨である。

バイデン大統領は、このポンペオのスピーチに表明された対中路線を継承している。大統領が、トランプからバイデンに代わったとき、アメリカの外交の基本線が、自国第一主義から国際協調主義へと変化するだろう、とアメリカ内外の人々から期待された。実際、今のところ、その期待はおおむね満たされそうではある。ただ、同時に、それだけに、人々には——とりわけアメリカ人の間には——、不安もあった。トランプは中国に対して強硬な態度をとったが、バイデン大統領は、中国に対しても宥和的に接することになるのではないか、と。そのような心配があることをバイデン大統領とその側近はよく理解しているので、彼らは、パリ協定（2015年に採択された、気候変動に関する多国間の協定）や対イラン政策などのケースとはまったく違って、中国には厳しい態度で対するということをとりわけはっきりと示しているのだ。誰に対して示しているのか？　アメリカ国民に対して、諸外国に対して、そして誰よりも中国の首脳に対して、である。

多分、アメリカは、長い間、中国を軽く見ていた。1972年のニクソン訪中以降、アメリカの対中政策は、関与政策だったといってよい。述べてきたように、とりわけ21世紀に入ってからは、アメリカは、中国をかなりの大国として扱ってきた。ただし、アメリカは、人権問題や自由の抑圧など、中国共産党の支配に問題があることはわかっていた。しかし、それでも——中国が急速に経済成長してきたとしても——、なお、アメリカは、中国が世界の脅威になるほどではない、と考えてきたのではないか。さらに、もし中国がアメリカや世界の基本的な状況を左右するほどの力をもつとすれば、それは、中国が民主化に成功したときに限られる、と予想していたのではないか。だから、中国の問題をおおむね無視して、「関与政策」という名で、中国に好きなようにさせていたのではないか。

だが、アメリカは今や、こうした考え、こうした予想はまちがっていたかもしれない、と思うようになった。中国は、経済的にも政治的にも強大になり、すでに、アメリカと世界にとって十分に脅威である。それなのに、中国は——少なくともすぐには——民主化しそうもない。関与政策で中国をあまやかすわけにはいかない。

台湾への執着

今、アメリカ政府の最大の懸念事項は、報道されている通り、中台関係である。習近平の中国は、どこかのタイミングで、台湾に軍事侵攻し、台湾を実質的に併合しようとするのではないか、と。現在確認できているさまざまな事実を総合してみると、これは十分にありそうなことである。*9 習近平の共産党政権は、香港（ホンコン）をめぐって一国二制度の約束を破棄し、一国一制度に変えてしまった。次は、台湾の番である。もともと、中国の公式見解では、台湾は中国の一部である（つまり一国二制度の状態だ）。台湾を軍事力によって統合し、一国一制度を確立しよう、というわけだ。

アメリカは、これを絶対に許すわけにはいかない、と考えている。１９７９年に中華人民共和国との国交を樹立し、「中国はひとつ」という中国共産党の主張を認め、台湾との国交を断ってからずっと、アメリカ政府としては、台湾の住民の多数が中国への併合を望み、その結果として、単一の中国が実現するのであれば、それはそれで仕方がない、と思っていただろう。しかし、台湾問題のこうした平和的な解決は、難しくなりつつある。けれども、軍事力を使って台湾を統合することは、許すわけにはいかない。これがアメリカの立場である。[*10]

どうして、アメリカは、中国が台湾を軍事的に統合することを許せないのか？という疑問は、それほど難しい問いではなさそうだ。アメリカは、そして国連は、イラクがクウェートに侵攻したときも、これを許さなかったではないか。それより、答えが難しいのは、中国がどうして台湾にこだわるのかである。中国共産党は、どうして、武力を使ってでも、台湾を併合したいと望んでいるのか？

通常の外交の常識からすると、台湾の統合は、中国にとって得策ではない。台湾を統合しても、中国にはさしたる利益はもたらされないように見える。台湾に、中国が欲している貴重な地下資源があるわけではない。習近平政権は安定しており、台湾を統合しないと国内からの支持が得られないというような状況でもない。そもそも、建国以来、70年以上も台湾を放置してきても、共産党政権は安泰だったのだ。どうして、今、台湾を無理にでも統合しなくてはならないのか。

台湾を統合しても微々たる利益しか得られないが、統合したことによるコストはあまりにも大きい。特に、中国に対する国際的な反発は、著しく強いものになるだろう。ウイグルでの人権侵害や香港での弾圧でも批判されてきているが、事実上は独立国である台湾に侵攻したら、それに対する国際的な非難の大きさは、ウイグル問題や香港問題どころではない。中国にとって、台湾統合は、ほぼ百害あって一利なしの状況である。どうして、台湾統合に共産党政権はこだわっているのか。

中国の行動は、通常の国家の合理性とは異なるものに基づいている。中国から見れば、十分に合理的で有意味なのだが、われわれが通常想定している国家の行動の論理からは、愚策にしか見えない。中国共産党の政策を規定しているのは、どのような論理なのか。どうして、台湾の統合に執着するのか。

このことに答えるには、結局、現代中国の本質はどこにあるのかを知らなくてはならない。この点については、実は、橋爪大三郎さんが、明晰(めいせき)で説得的な図式をすでに与えてくれている。橋爪さんが『中国vsアメリカ』(河出新書、2020年)で述べていることを少しだけ修正しながら、説明しよう。

帝国的なものの転用

米中の対立を新冷戦などと呼ぶが、中国の自己主張は、かつてのソヴィエト連邦の自己主張の場合とは、まったく異なるものを根拠にしている。ソ連の根拠は、イデオロギー的なものだった。しかし、中国は、「社会主義」を伝道しようとしているわけではない。中国の行動を規定している原理は、基本的には、ナショナリズムである。

というと、ナショナリズムはどこにでもあるものだから、中国は、ごく普通の「ちょっと困った国」のひとつだと結論したくなる。しかし、中国のナショナリズムは、現在の世界標準となっているナショナリズムやネーション(国民)とは異なった仕様になっている。このことを、中国人や中国共産党も、またアメリカを含む他国の人々もよく理解していない。中国共産党は、自国の行動を、たとえばウイグルの少数民族の「思想改造」を、どこの国にもあるナショナリズムに基づく行動として自己理解しており、それを特に悪いことだとは思っていない。だが、中国のナショナリズムは、世界標準のナショナリズムとは大きく異なった仕組みで成り立っているのである。

中国のナショナリズムは、どの点で標準版のナショナリズムと異なっているのか。結論を言えば、中国は、かの地に二千年以上も持続してきた文明的定数とも言うべき政治のシステムを、そのままネーションとナショナリズムに転用したのだ。文明的定数となっていたシステムとは何か。帝国、中華帝国である。帝国にそのままネーションの看板をつけ、帝国の原理をナショナリズムとして活用する。これが現代の中国である。

帝国にとって最も重要なのは、もちろん、皇帝である。中華帝国の場合、皇帝はどうやって決まるのか。天命によって、である。つまり皇帝を規定する超越的なものとして「天」がある。とはいえ、天が何を欲しているのか、誰を皇帝として指名したのかは、明確に書かれているわけでもないし、誰にも聞きとりうる声として示されるわけでもない。皇帝の下には、彼の政治を助ける行政スタッフがいる。官僚が、である。官僚の能力は、文字（漢字）についての能力を判定する厳しい試験（科挙）によって証明されている。中華帝国では、皇帝と官僚が、民を――主として農民を――支配している。

かつての中華帝国の「皇帝+官僚」の機能を、現在のシステムでは、中国共産党がそのまま担っていると考えればよい。だが、「天命」はあるのか。天命は、中国共産党とその指導者（習近平）に与えられているのだろうか。この点については次のように考えればよい。今し方述べたように、もともと、天命は誰もが理解できるようなかたちで示されたり、聞こえてきたりするものではない。天命通りの人物が為政者として君臨しているかどうかは、その支配が順調で、社会や自然の秩序が保たれているかどうかという事実によって、間接的に示される。天命に反する者が権力を握っていれば、ことが順調に進むはずがないからだ。したがって、結局、支配がうまくいっているという事実によって――この事実が「政治が天命に適合していること」の状況証拠になるので――、自己言及的に、その支配が正統化されるようになっている。ゆえに、現に中国共産党の支配が成り立っている以上は、それは天命に従っているのだ。

もちろん、現代の中国人が、実際に天命を文字通り信じ、天命がどうかなどということを意識するわけではない。だが、それは、西洋の場合も同じである。現代の基本的な政治概念や法概念は、たとえば「主権」とか「人権」とかは、すべて究極的には、キリスト教神学に由来している。しかし、それらは今や世俗化されていて、これらの概念に基づいて主張したり行動したりするとき、人は「神」のことを意識するわけではない。しかし、これらの概念を実現すべく行動しているとき、人は、あたかも神が存在しているかのようにふるまっているのだ。

同じことは、現代の中国人に関してもいえる。ことさらに「天」や「天命」を意識することはないが、あたかもそれらが存在しているかのように中国人はふるまっている。そう考えなければ、選挙で支持されたわけでもない共産党の支配がどうして正統なものとして受け入れられているのか説明がつかない。前世紀の前半、共産党と国民党と日本との間の三国志的な三つ巴の戦いの中でたまたま運よく勝ち残ったのが共産党である。その支配が、どうして70年間以上も続いてきたのか。勝ち残ったという事実に、何かプラスαの要素が宿っているのである。それこそ、無意識の「天命」である。

中国共産党の支配と歴代の中華帝国との違いは、指導者（皇帝）が世襲されてはいない、ということである。だが、トップが父系で世襲されるということは実は、中国流の帝国にとって、本質的な条件ではない。「禅譲」というやり方があり、むしろ、世襲よりも望ましいとさえ考えられてきたからだ。中国共産党の場合、初代の「皇帝」である毛沢東が、中国人にしてはめずらしく、親子関係への思い入れが微塵（みじん）もなく、子に自分の地位を継承させようとしなかった。このため、中国共産党の指導者は、世襲とは異なる方法で、一種の禅譲によって継承されてきた。

というわけで、中国共産党の支配は、先立つ中華帝国の後継者である。具体的には、清帝国の後継者だ。この現代版の中華帝国が、近代的な国民国家（ネーション・ステート）の一種として自らを提示したのだ。

が、ひとつ問題があることに気づくだろう。この場合、ネーション（国民＝民族）とは誰のことなのか？　清王朝は満族の王朝ではないか？　近代中国を担う民族は、漢族だと考えればよいのか？　漢族が、異民族である満族を倒して、自分たちの国民国家を造ったということでよいのか？　だがこれも不都合だ。漢族の人口のスケールはきわめて大きいが、それでも、中国が包摂しようとする民族は、漢族だけではない。そこで、「中華民族」という語が発明された。中華民族というアイデンティティは、清王朝が倒れ、中華人民共和国が出現するまでの期間に、つまり中国が近代的な政治システムに適合しようとする模索の中で、発明されたものである。語の発案者は、日本への亡命の経験がある梁啓超（りょうけいちょう）（清末の学者・政治家）だ。

帝国的なものの否定

中国のナショナリズムは、中華帝国のやり方をそのまま転用したものである。中国でいう愛国とは、現在の「皇帝」に相当する中国共産党を肯定し、支持することを意味する。このように説明しても、しかし、多分、ピンとはこないだろう。結局、どこが特徴的で、どの点で普通のナショナリズムと異なっているのか。日本だって、近代以前からあった「天皇」をそのまま温存し、再活用して、近代的な国民(ネーション)を作ったではないか。こうしたケースとどう違うのか。

この点を深く理解するためには、そもそも、普通のナショナリズムとは何か、ネーションとナショナリズムはどのように生まれたのか、そのポイントを押さえておく必要がある。ネーションなる共同体は、18世紀の末期から19世紀の初頭にかけて、西ヨーロッパで――新大陸にあった彼らの植民地を含む広い意味での西ヨーロッパで――生まれた。たとえばフランス革命のときにはじめて、「ネーション」とか「ナショナル」という語が、今日と同じ意味で、つまり「国民」「国民の」といった意味で使われた。西ヨーロッパの19世紀は、ナショナリズムの時代だと言ってよい。ちなみに「ナショナリズム」という語が辞書の中に入るのは、19世紀の末期である。
19世紀には、ネーション（国民）は、それまでにはなかったまったく新しい政治共同体と感じられた。「新しい」ということは、それ以前の何かを否定している、ということである。何を否定して、ネーションが出現したのか？　ネーションは、何を否定し、斥けたのか？　それこそ――一部の研究者を除けば十分に自覚はされてこなかったことなのだが――「帝国」あるいは「帝国的なもの」だったのである。ネーションは、そうとは自覚することなく、帝国を否定し、それに取って代わるものとして各地に出現したのだ。中国は、帝国的なやり方を否定することなくそのまま転用し、ネーションとなった。しかし、本来のネーションは、帝国を否定するものとして出現した。[*11]
と、急いで説明すると、「ちょっと待てよ」と思うはずだ。西ヨーロッパに、否定に値するような帝国などあったのか？　中国には、確かに、帝国たちの栄枯盛衰の歴史があった。しかし、西ヨーロッパに、それに匹敵するような帝国はあったのか？　確かに、19世紀初頭まで神聖ローマ帝国なるものがあったが、それは、西ヨーロッパの近代史を規定するほど重要な意味をもつ国家ではない。西ヨーロッパの全体を支配下におさめる政治的実体としての帝国は、西ローマ帝国が五世紀後半に滅亡して以降は、一度も出現したことはない。政治的実体として見れば、西ヨーロッパは帝国の真空地帯のひとつである。

ならば、ネーションが帝国的なものの否定だった、とはどういう意味なのか？　政治的な実体としては存在しなくても、一種の観念として、いわばヴァーチャルな共同性として、西ヨーロッパにも帝国（的なもの）があったのだ。その現実上の対応物は、ローマを中心にしたカトリック教会である。カトリック教会は、世俗の政治権力と一体化してはおらず、自前の軍隊ももたなかった。しかし――一筋縄ではいかない非常に複雑な歴史的事情があるのだが――西ヨーロッパの世俗の権力は基本的には、その正統性をカトリック教会やローマ教皇に負っていた。西ヨーロッパでは、知識人や聖職者がラテン語でやりとりできる範囲が、政治的な意味ではなく、文化的な意味で帝国を形成していた、と解釈しなくてはならない。それが実際、きわめて重要な歴史的ファクターであったことは、「ヨーロッパ」という文明的アイデンティティが今日でも強く作用し、たとえばEUのような制度を可能にしている、ということを考えただけでも明らかである。

西ヨーロッパにネーションが出現したとき、それが否定し、克服したのは、このような文化的な意味での帝国、ヴァーチャルな「ラテン帝国」である。ラテン帝国の自己分裂のようなものとして、西ヨーロッパのネーションは生まれた。このとき、それぞれのネーションは、帝国の神聖な真理語としてのラテン語に代えて、英語とかフランス語とかといった俗語を、自分たち固有の言語として所有するようになった。母語としての俗語は、父の語としてのラテン語の否定である。これと同じ意味で、ネーションは、帝国の否定として成立したということは、ネーションやナショナリズムの本性を考える上できわめて重要な事実なのだが、ほとんど自覚されてこなかった。とりわけ、日本人は、そんなことを意識してこなかった。それもそのはず。19世紀の後半に、日本人が、西ヨーロッパを模倣して、近代的なネーションになったとき、否定の対象としての帝国など、日本人にとっては存在していなかったからだ。日本は辺境すぎて、中華帝国の中に組み込まれていなかったのだ。[*12]

したがって、整理すると次のようになる。西ヨーロッパに出現した、原型としてのネーションは、帝国的なるものの否定として成立した。日本は、わざわざ否定しなくても、最初から帝国がないところで、ネーションになった。そして、中国は、帝国をそのまま肯定的に継承し、ネーションとした。中国というネーションは、帝国との間に、否定という媒介を挟んでいない。[*13]

平等性と序列

帝国を否定してネーションを形成した場合と、帝国がそのままネーション化した場合とでは、ネーションにどのような性格の違いが出るのか。二つの違いを指摘しておこう。

第一に、帝国と（普通の）ネーションとの違いは、前者が、人間の間の序列を肯定するシステムであるのに対して、後者は、メンバーの間の水平的関係、つまり平等性を規範的に選好するシステムだということにある。国民は、普通は、平等だと見なされる。[*14]実際には、どんな国にもさまざまな差別があるが、しかし、「国民」の名において差別を正当化することは難しい。「同じ国民だ（同じ日本人だ等々）」は、むしろ、差別に対抗する強い政治的なスローガンになる。

それに対して、帝国は成層的な社会システムで、序列やヒエラルキーを望ましいものとして積極的に承認している。実は、ネーションが出現する前は、平等なシステムは、必然的に小規模な共同体であった。システムがある程度以上の規模になると、成層化し、複雑化する。ネーションは、大規模で複雑なのに、メンバーが平等な、人類史上最初の社会システムである。

では中国はどうか。現代の中国は、自他ともに自らをネーションだと見なしているのに、実際には、平等には無関心で、序列を非常に重視する社会である。儒教による裏付けもあって、親族間の序列にもうるさくこだわる。官僚機構や共産党の組織も、何段階ものヒエラルキーがある。都市と農村、知識人と一般の人との間の序列も、肯定的に受け入れられている。そして何より、最も重要な序列は、共産党員と非共産党員の間の差別である。中国にとって序列がいかに重要かは、共産党大会でのあのひな壇のことを思い起こせばよい。ひな壇のどの位置に座っているかで、その人物の共産党の中での順位がすぐにわかる。中国が序列に対して肯定的なのは、中国が、(普通の意味での)ネーションではなく、むしろ帝国だからである。中国は、ネーションの仮面を被(かぶ)っているが、内実は帝国である。

*

この第一のポイントの派生的な帰結として、中国では、「法の支配」が成り立たないことになる。「帝国性」と「法の支配の不在」との間に、必然的なつながりがあるわけではない。ただ、それぞれの文明において「法の支配」の理念が成り立つかどうかは、どのようなタイプの帝国を歴史的に経験してきたか、ということに深く規定されている。ヨーロッパでは、あのヴァーチャルなラテン帝国や教会と世俗の権力との間の複雑な関係を通じて、「法の支配」が獲得された。しかし、中華帝国の経験は、法の支配という理念を生み出すことはなかった。逆にそれは、法の支配を根本的に否定するものだった。

法の支配は、法律が存在しているかどうか、とは別のことである。中国にも、昔から、法はある。日本は、中華帝国から法というものを学んだくらいだ（いわゆる「律令（りつりょう）」）。現代中国にももちろん法があるし、憲法もある。しかし、法の支配はない。

法の支配とは、最高の権力者でさえも法に拘束される、という意味である。最高の権力者とは、ヒエラルキーの頂点にいる者だ。伝統的な中華帝国の場合、もちろん皇帝であり、現在では、共産党の最高指導者がこれにあたる。皇帝の言動を規定する上位審級は、先にも述べたように、「天」だが、天の命令や意志には、実質的には何の内容もなく、テクストに書かれているわけでもない。するとどうなるか。皇帝や権力者の命令が、そのまま法になるのだ。皇帝や共産党の方が、法に優越する。法は、これらの権力者の恣意に服することになる。これは法の支配ではなく、その反対物、人の支配である。

法の支配がないところでは、権力の妥当性や正しさを問うことができなくなる。権力自体が法を生み出しているため、権力の妥当性を法的に批判することができないからだ。アメリカが、あるいはそのほかの国々が、現代中国に対して、強い不信感をもつ最大の原因は、中国では、法の支配の理念が蹂躙されているように見える、という点にある。

自らを世界そのものと合致させようとする意志

以上は、対内的なシステムの構造についての違いだった。帝国と（普通の）ネーションとの第二の違いは、対外的な態度に関することがらだ。ネーションは、一般に、自らを「限られたもの」として想像する。[*15] と言うと、今や国民国家のシステムを自明の前提として生きているわれわれからすると、当たり前すぎて、「えっ？」と思ってしまうだろう。ネーションの大きさ（人口や領土）はまちまちだが、どんなに大きなネーションも境界をもち、その向こう側には、自分たちと対等の別のネーションがいる、ということを積極的に承認している。たとえば、日本人という国民（ネーション）は、有限の集合であり、その外には、「韓国人」とか「フランス人」とかといった別の国民がいる。

だが、こんなことは当たり前で、どんな集団、どんな組織、どんな共同体でも同じではないか。そう思うだろう。しかし、帝国は違うのだ。と述べると、すぐさま、さらに反論したくなるはずだ。歴史上、たくさんの帝国があった。アレクサンダー大王のアルゲアス朝マケドニアとか、ローマ帝国とか、イスラーム系の帝国とか、そしていくつもの中華帝国とか……。それらは確かに大きいが、すべて「限られたもの」ではないか。ネーションだけが「限られたもの」であるわけではない。こう反論できる。

しかし、実はそうではない。帝国を帝国たらしめている条件は、自らを世界そのものと合致させようとする意志である。帝国は、できることならば世界全体でありたいと欲し、人類全体を自らに包摂する日を夢見ている。これは、帝国が、一般に世界宗教や普遍思想をイデオロギー的な基盤としているということと関連した特徴である。西ヨーロッパのヴァーチャルな帝国にとっては、キリスト教（カトリック）が、伝統的な中華帝国にとっては、天の観念を組み込んだ儒教が、イデオロギー的なベースになっている。世界宗教・普遍思想を担う政治的共同体としての帝国は、帝国＝世界であることを、特に自覚することもなく欲望しているのだ。

とはいえ、実際には、今述べたように、どんなに大きな帝国も、陸地の全体を支配したことはない。人類史上最大の帝国は、モンゴル帝国で、もう少しでユーラシア大陸の全体を征服しそうになった（が実現しなかった）。帝国が世界と合致しようとする意志をもつのに現実には有限なのは、単純に、そんな欲望があっても、それを実現するほどの実力をもつことはできなかったからである。実力がなければ、仕方がない。

ネーションは、こうした帝国的な意志の積極的な放棄、積極的な否定によって実現する。ネーションは、自らを世界そのものや、人類の全体と合致させようという欲望をもたない。「限られたもの」であることをいささかも否定的なこととは考えず、積極的に受け入れているのだ。国民国家と国民国家の間で、境界線の位置をめぐって紛争が生ずることはある。国民国家も、どこまでが自分の領分であるかには強いこだわりがある。しかし、自分を世界の全体と合致させることを目指して、そうしているわけではない。

ここで中国を見てみよう。中国も、公式には、ひとつの国民(ネーション)である。自分でもそう思っているし、他国もそう見なしている。しかし、共産党の指導下にある中国の行動を規定しているのは、むしろ帝国的な衝動、世界と合致しようとする意志である。もちろん、現代中国の指導者たちは、十分なリアリストである。伝統的な中華帝国の為政者よりもずっと冷静に世界を見ている。だから、中国が世界の全体、地球のすべてを制覇することなど不可能なことはわかっている。13世紀のモンゴル帝国のような侵略戦争を起こそうなどとは思ってはいない。だが、現実に妥協できる範囲で、帝国的な欲望を満たそうとしている。たとえば、「一帯一路」は、そうした妥協の産物として出てきた構想である。

繰り返そう。ネーションの場合には、仮に経済力・政治力・軍事力等々の実力をもっても、帝国的な意志はもたないので、自らが有限であることに積極的に充足する。「限られたもの」であることを否定することは、ネーションにとっては悪いことである。しかし中国は、実力と現実の状況が許す範囲で、帝国的な衝動を満たすべく行動する。20世紀の中国は、たいした実力がなかったので、おとなしくしていた。しかし、今は、そんなに従順である必要はないと、中国の指導者たちは感じているはずだ。

＊

そして、台湾である。どうして、中国は台湾の統合に執着するのか？　述べてきたように、中国に帝国としての意志があるとしても、それは、現実に譲歩するかたちでしか実現しない。とはいえ、中国というネーションの実態が帝国であるとすれば、絶対に譲ることができない条件がある。現代中国が帝国であるということは、先に述べたように、清国の後継者だということである。共産党に支配された現在の政府は、清朝を受け継いでいる。ということは、清朝が支配していた版図（はんと）は、中国にとって、これ以上は小さくできない最小の領域だということだ。

台湾は、清朝の版図に含まれていた。そうであるとすれば、台湾は、現代の中国の一部でなくてはならない。それは、中国にとって利害打算の問題ではない。台湾は、アイデンティティの問題であり、最小限の正統性が、台湾を統合するか否かにかかっている。だから、中国は、そう簡単には台湾の統合を諦めない。だが、アメリカ（を含む諸外国）は、それは容認できない、と考えている。日本の総理大臣は、中台の紛争が深刻化したときに備えて——とりわけ中国が台湾に侵攻したときに備えて——、真っ先にアメリカ大統領に呼ばれた。近い将来、日本も、かの「集団的自衛権」の行使の一環として、軍隊を派遣しなくてはならなくなるかもしれない。日本はどうすべきなのか。この点については、次節で、私の考えを述べることにしよう。

＊1　オリンピックは、何のために開くのか。日本人にとっては、その目的ははっきりしている。世界の人々に、褒めてもらうことである。「褒めてもらう」とは、（ほぼ）全員一致の称賛があったと実感できることを意味する。ちなみに、前の東京オリンピック（１９６４年）は、かなりの程度、この目的を果たした。その19年前の敗戦によって打ち砕かれた自尊心を、オリンピックは、ある程度は、建て直すのに役立ったのだ。

＊2　https://www.pewresearch.org/fact-tank/2020/01/10/around-the-world-more-see-the-u-s-positively-than-china-but-little-confidence-in-trump-or-xi/

＊3　このピュー研究所の調査について、留意すべきことを付け加えておこう。この調査は、本文に書いたように2019年に実施されている。調査の後にあったこと、つまり2020年から2021年にかけての経験が、世界の各国における親米・親中の態度に大きな影響を与えた可能性が高い。たとえば、新型コロナのパンデミックとの関係で中国がとった「マスク外交」「ワクチン外交」は、いくつかの国の親中度を高め、別のいくつかの国では逆効果だっただろう。アメリカの大統領がトランプからバイデンに代わったことが、多くの国の親米度を上げた（というより嫌米度を下げた）だろう。だから、今、同じ調査を実施したら、各国の数値には変化があるかもしれない。もっとも、日本の「1位」は変わらないだろう。

＊4　たとえばＮＨＫ放送文化研究所の「日本人の意識」調査を参照。『現代日本人の意識構造〔第九版〕』ＮＨＫブックス、2020年。

＊5　ここで「病的」とか「歪み」とかと形容していることには、ただの誇張を超えた理由があるのだが、ここでは詳しく説明する余裕がない。一言だけ述べておこう。「自信」というものはあった方がよいのだが、それは、自己の客観的な内実に合致している限りにおいてである。自信は、ないのも困るが、ありすぎる（自信過剰）のも困る。そして、本人すらもちょっと反省すれば自覚できるほどのあからさまな自信過剰は、たいてい虚勢であって、むしろ極端な自信のなさを隠蔽する仕草である。

＊6　たとえば、総理府（現内閣府）が実施した「外交に関する世論調査」によると、1980年に、「中国に対して親しみを感じる」と答えた人の割合は、78・6％である。橋爪大三郎・宮台真司・大澤真幸『おどろきの中国』講談社現代新書、2013年、第4部。

＊7　ピュー研究所の2019年の調査で、日本の「親米度∨親中度」がずば抜けて高いと述べた。逆に「親米度∧親中度」の値が、ダントツで高い国はロシアである（マイナス42ポイント）。ロシアが33か国の中で

「最下位」になるのも、この国の親米度（嫌米度）と親中度の間に因果関係があるからだ。ロシア人は、特に中国が好きなわけではない。では、なぜ親中度が高いのか。ロシアは、冷戦が終わってから、アメリカと並ぶ超大国としての地位を失った。が、せめて、アメリカにつぐ大国グループの一員でいたい、と思っている。大国グループにいるということは、仲間の大国と組んだときに、アメリカに対抗できる（アメリカの言いなりにならないですむ）という意味である。つまり、単独では、大国グループの一員とは見なされない。仲間が必要なのだ。しかし、（ほんとうは最も一緒にやりたい相手だった）ヨーロッパはロシアに対して冷たい。つまり、ヨーロッパの方は、ロシアを全然、頼りにしておらず、むしろ、ロシアを見下しているように（ロシア人には）感じられる。結局、ロシアが組むことができる相手は、やはりアメリカと張り合っている中国しかない。ロシアの親中度は、この国の反アメリカ的態度（嫌米性）に規定されている。親米度と親中度に極端な差が出る国（日本とロシア）では、両者の間に、負の相関関係があるのだ。ちなみに、日本に次いで「親米度－親中度」の値が大きい国々は、韓国、フィリピン、インドの順序だが、これらの国は、すべて少しだけ日本に似た事情で、嫌中である（中国の近隣国で、中国の経済的・政治的・軍事的プレゼンスの急激な拡大に脅威を感じている）。

＊8　「関与」という語を最初に使ったのは、父ブッシュ大統領である。

＊9　習近平は、国家主席の「2期10年」の任期を撤廃した。自分が在任中に、歴史に名を残すような大きなことを成し遂げたいからだ。中国は、軍備を増強し、とりわけ強襲揚陸艦をたくさん準備しているらしい。どこに強襲揚陸するのか。台湾以外には考えられない。

＊10　1972年にニクソン大統領とキッシンジャー大統領補佐官が訪中したとき、アメリカは、中国がひとつであるという認識に異議を申し立てないと公式に認めてしまった。このことが、今となっては、アメ

リカにとっては足かせになっている。中国がひとつならば、台湾問題は、中国の国内問題だということになるからだ。

*11 大澤真幸『ナショナリズムの由来』講談社、2007年。

*12 ここでいう「帝国」は、起源にまで遡れば、古代の世界宗教や普遍思想とともに出現した帝国である。マルクス・レーニン主義者がいう帝国主義とか、「大英帝国」というときの帝国と、ここでの「帝国」とは関係がない。帝国主義等の帝国は、ナショナリズムと連動して出現している現象である。戦前の日本は、「大日本帝国」と自称し、天皇をEmperorと英訳したが、これらも、中華帝国的な帝国概念やその皇帝とはまったく異なるものである。大日本帝国やEmperorは、世界のことをよく知らない者たちが、自分のことを誇大に見せようとしたために使われた名前であろう。

*13 20世紀の最後の年に、アントニオ・ネグリとマイケル・ハートが、『〈帝国〉』というタイトルの本を出し、左翼系の人々に広く読まれた。ネグリらが言う〈帝国〉は、ナショナリズムと帝国主義の時代(つまり近代)の後の——ポストモダンの——グローバルな主権のあり方を意味している。〈帝国〉は、ときどき誤解されているが、アメリカのことを指しているわけではない。アメリカを一部に組み込むポストモダンのグローバルな主権を、ネグリらが〈帝国〉と呼んだのは、それが、古代ローマ帝国と類比させうる構造をもっているからだ。〈帝国〉は、本来の帝国の否定(ネーション)の否定であり、帝国の高次化された再来である、と見なすこともできるだろう。ナショナリズムと帝国主義のポストモダンな否定が、〈帝国〉の形態をとるという事実もまた、間接的な仕方で、ナショナリズムやその派生物としての帝国主義が、もともと、本来の帝国の否定だったということを示している。

*14 ベネディクト・アンダーソン『定本　想像の共同体——ナショナリズムの起源と流行』白石隆・白石さ

や訳、書籍工房早山、2007年、26頁。

*15 同書、25頁。

付記 2022年2月24日にロシアがウクライナに軍事侵攻して以降、中国が、台湾を軍事力によって統合する可能性は、当面、大幅に低下した。習近平政権は、ロシアに対する国際社会の反応から、軍事侵攻は、想定以上に割に合わないことであると悟ったに違いない。とはいえ、本文で述べたように、中国が、台湾を実質的に統合することを諦めることは、絶対にない。とすれば、長期的に見れば、やはり、中国が軍事力を使って、台湾を併合する可能性は、残っている。

(2) 集団的自衛権を行使するときがくるのか?

日本はどちらに付くのか? もちろん

中国は、台湾の併合をねらっている。その執着の究極の原因はどこにあるのか。前節で、この問いに答えた。それは、中国が、帝国の原理で動くネーション(国民)だからだ、と。中国は、形式においてはネーションだが、実質においては帝国である。このねじれの結果として、中国は、(「人の支配」に対するところの)「法の支配」がないシステムとなった。また、同じことを原因として、中国には民主主義がない。中国は、一党独裁の権威主義国家である。

アメリカから見れば――そしてヨーロッパから見ても――、このような中国は普遍的な正義、普遍的な価値観に反している。だから中国は許せない、と。どのくらいの強さで許せない、とアメリカが思っているのかと言うと、自分を含む国際社会と中国とは共存不可能だ、と見るくらいのレベルだから、ほぼ極大値の「許せなさ」である。それでも、アメリカは、香港での自由の抑圧に関しては、中国政府に強く抗議はするものの、それ以上のことはできない。新疆ウイグル自治区における人権侵害についても同様である。

アメリカが一線を越えるのは、中国が台湾に軍事侵攻したときであろう（前節末尾の付記を参照）。アメリカの、中国に対する「許せない」が、現実の行動となるのは、中国が台湾を自らの領土だとして、軍事的に併合を目指したときだ。このとき、アメリカは、台湾を、軍事力によって守るだろう。中国が台湾へと侵攻するのを、アメリカは傍観してはいないだろう。

＊

アメリカと中国が対立している。日本は、どちらに、あるいはどこに立つべきか。これに対する、さしあたっての答えは決まっている。日本は、アメリカに加担すべきだし、実際にそうするほかないだろう。[*1] 私は今、「さしあたっての」という限定を付した。究極の最終的な答えは別だからである。これについては後述する。その前に、「さしあたっての答え」も、このケースでは、重要である。

アメリカと中国。どちらの主張、どちらの言動に説得力があるか。もちろん、アメリカである。日本の行動原理、日本人が肯定してきた政治もまた、当然、中国の権威主義よりもアメリカの民主主義に親和性が高い。日本人が支持してきた価値観は、はっきりとアメリカの方を選ぶだろう。

これに加えて、日米の同盟関係がある。そのことを考えても、日本にとって、アメリカ側に付かない、という選択肢はありえない。たまに、日本は、米中のどちらを支持するか敢えてはっきりさせず、「中立」に近いポジションをキープすべきだと主張する人がいるが、米中の対立が切迫してきたとき、そんな悠長なことを言ってはいられないし、この主張はまちがっている。どっち付かずの立場にいれば、どちらからも嫌われない、という判断は、とんでもない誤りである。そのような立場は、むしろ、どちらの陣営からも嫌われるだろう。特に、アメリカからは憎まれるだろう。誰かと喧嘩したとき、絶対に自分に味方してくれると思っていた友人が、「喧嘩両成敗」的なことを言って中立をキープしたときの失望を思えばよい。中国ははじめから日本が味方してくれると思ってはいないからさほどではないが、もし、日本がはっきりとアメリカ側に協力しなかったら、アメリカは、日本を裏切り者と見なすだろう。

が、ここに、ひとつ問題がある。日本人は、アメリカと同じくらいに、中国——というより中国共産党——の「不正義」を怒っているだろうか。中国共産党が、法を超えた権力をもつこと、中国共産党が信仰の自由も言論の自由も認めていないこと、中国共産党が自由な選挙も政治活動も認めていないこと、等々に、日本人は怒っているだろうか。前節の冒頭で述べたように、日本人はおそらく、世界で最も嫌中度の高い国民である。しかし、日本人が中国を嫌っている理由は、中国共産党による政治の「不正義」にあるわけではない。中国共産党が新疆ウイグル自治区で行なっているひどい弾圧や人権侵害に義憤を感じて中国が嫌いになっている……というわけでは、必ずしもない。

だが、もしアメリカを支持して中国と対決することになれば、日本は、多くの利益を、主として経済的な利益を失うことになる。日本経済の中国経済への依存度は非常に大きい。大きな経済的利益を放棄してまでも、アメリカの「大義」につきあう価値があるだろうか……と思う日本人は多いはずだ。しかし、そう思っても、日本は、アメリカに付き従うほかないだろう。日本は、自分が望んでいるレベルよりもはるかに高い程度の強さで、中国に対抗せざるをえなくなる。この差分は、日本がさしたる覚悟もなく、それほどの理解も共感もなく、アメリカに依存してきたことの「つけ」、と考えなくてはならない。

集団的自衛権の行使の一環として

だが、日本が支払わなくてはならないその「つけ」は、非常に高いかもしれない。経済的な不利益くらいならば仕方がない。しかし、日本はもっとはるかに大きな犠牲を強いられるだろう。本節の冒頭にも述べたように、中国が台湾に侵攻して、米中の軍事衝突に至るということ、これが、ある程度長期のスパンで将来を展望すると、ありそうな可能性として見えているからである。少なくとも、アメリカのバイデン政権は、そのときが将来やってくるかもしれないと考えている。だから、バイデン政権は、日本と韓国とを重視する姿勢を示し、日韓の間に紛争があることを憂慮しているのだ。

台湾で米中が軍事的に衝突したとき、日本は、日本の自衛隊はどう行動することになるのか。沖縄の米軍基地が、活用されることはまちがいないが、日本の自衛隊はどうなるのか。おそらく、自衛隊もアメリカの側に立って、中国の人民解放軍と戦うことになるだろう。中国の台湾への侵略が、我が国の存立が脅かされる危険として解釈されて……。

日米の軍事同盟は、もうずっと前から、「台湾有事」（台湾への軍事侵攻）を視野に入れていた。1990年代の最後の年に、「周辺事態法」が公布された。この法律は、冷戦の終結に対応して、日米安保条約の仮想敵国がソ連から中国に変わったことを暗に示すものであった。ということは、周辺事態として台湾有事が入っているということである。

ただ、その後も、日本国憲法との関係が問題にはなっていた。他国（中国）の軍隊が、日本の領土ではなく、台湾を攻撃しているとき、自衛隊は出動できるのか。この制限も、2010年代の中盤に、いわゆる安保法制とともに、憲法が集団的自衛権を容認していると解釈（というより改釈）されるようになってからは、撤廃された。日本人や日本政府は、しばしば、尖閣諸島が日米安保条約の適用範囲に含まれるかを気にしているが、尖閣諸島など、中国にとっても、アメリカにとってもさして重要な問題ではない。問うべきは、台湾が、日米安保条約の適用範囲か、である。もちろん、範囲である。今や憲法も、このような日米安保条約に基づく行動を抑止するものにはなってはいない（と解釈されるようになった）。

細かいが重要なことを付け加えておく。日本の軍隊が武力行使する上での要件は、「我が国と密接な関係にある他国に対する武力攻撃が発生」したときである。台湾は、中国の公式の立場からすると、他国ではなく、自国の一部である。だから、台湾との武力衝突は、中国にとっては一種の「内戦」である。日本は他国の内戦に介入するような武力行使ができるだろうか。

*

しかし、中国が台湾に対して武力を行使したときに、起きそうな展開は次のようなものだ。まずは、台湾が正式に独立を宣言する。[*2]台湾は、客観的に見れば、独立の主権国家だが、これまで、独立を宣言してはこなかった。おそらく、台湾政府は、アメリカから、「中国への挑発になるので、独立を宣言するようなことはやめるように」と言われてきたのだ。その代わりアメリカは、台湾に最新兵器を輸出し、沖縄に米軍基地を置き、中国からの脅威から守ることを台湾政府に約束してきたのだ。ただし、台湾が独立の宣言をあえてしない、という約束が果たされるためには、絶対的な前提が満たされていなくてはならない。絶対的な前提とは、中国が台湾に軍事的に侵攻しないこと、である。

1972年にアメリカが、「ひとつの中国」の原則を認めたとき、中国との間で、暗黙の——あるいは密約された——交換条件があったのではないか。「中国は台湾を武力によって統一しないこと」、これが交換条件である。この頃は、中国共産党にも、人民解放軍にも、どの道、そんな実力はなかったので、この交換条件は維持されてきた。つまり、台湾の「独立宣言の禁止」のための前提も満たされていた。しかし、中国は実力をつけ、台湾を軍事力によって統一できるときが目前に迫っている。そして、もしほんとうに人民解放軍による台湾への攻撃が始まったら……。

前提が否定されたのだから、台湾は、独立を宣言するだろう。中国に対抗するため、である。するとただちに、アメリカは、その独立を承認するに違いない。多分、台湾は、事前にアメリカの「許可」を得てから宣言しているだろうから。アメリカもまた、もともとの約束のための前提が破られたときには、台湾の独立宣言を承認すべきだ、と思っているはずだ。

では、日本はどうするか、どうすべきなのか。橋爪大三郎は、こう述べている。「日本は、アメリカが台湾を承認してからできれば二四時間以内に、台湾を承認しなければならない」。これは、日本人と日本政府が真に肝に銘ずべき、実に重要な忠告である。特に「二四時間以内に」という部分、つまり即座にといってよいほど早く決断するという部分が大事だ。台湾を独立国として承認する件については、結論が同じならいつ公式に表明しても同じこと、というわけにはいかない。

なぜか。台湾もアメリカも、台湾独立にあたって、日本の合意が必要だとは思っていないから、独立の宣言とそれに対するアメリカの速やかな承認という出来事は、日本政府にとっては、完全な不意打ちになるだろう。このとき、日本政府がやりそうなことは、中国を刺激したくない等々を配慮して、決定までに時間をかける、ということだ。そして、日本政府は、ヨーロッパの主要国などがアメリカと同様に台湾を承認するのを見て、つまり世界の趨勢(すうせい)を見て——国際的な空気を読んで——、おもむろに、台湾を承認するだろう。だが、これではダメである。このようにふるまうと、日本は、台湾を(そしてアメリカを)積極的・自発的には支持していない、他の国に追従しているだけだ、ということを大声で宣言していることになる。

米中が対立している状況の中で、日本は——さしあたって——アメリカの方を支持するしかない。それは、もうひとつの明白な選択肢——つまり中国を支持する——よりは、明らかによりよい選択肢である。とすれば、台湾が独立を宣言し、アメリカがそれを承認したとき、日本も結局、承認するしかない。状況がこのように展開したとき、それは、日本にとって唯一の道である。ならば、日本は、アメリカによる台湾承認の後に、地球が一回自転し終える前に、台湾を承認するのが望ましい。ほんとうは、ヨーロッパ諸国等のどの他国よりも早く、台湾とアメリカへの支持を表明した方がよい。アメリカの承認の直後、ほとんどタイミングを合わせたような直後だったらもっとよい。が、先ほど述べたように、台湾の独立宣言（とアメリカによる承認）のニュースは、日本政府には「寝耳に水」のようにやってくるので、そこまでは難しかろう。ギリギリのデッドラインが、二四時間後である。その早さで、アメリカと並んで台湾を承認すれば、ほんとうに台湾を支持したことになるだろう。

*

だから、中国が台湾に武力をもって侵出したときには、きっと、日本は、台湾が中国とは別の独立国であることを正式に認めなくてはならなくなる。述べてきたように、日本としては、そうするほかないのだが、このことは、同時に、日本にとっては、別の困難を呼び寄せる。集団的自衛権の名のもとで、武力行使する要件が揃う（そろ）ことになるのだ。中国の台湾攻撃が、我が国と密接な関係にある他国（台湾）への武力行使であり、かつ、我が国の存立を脅かす危険だと見なされるだろう。

中国を経済的に追い詰める？

アメリカと中国が対立しているとき、日本はアメリカに加担すべきだ。しかし、この場合、日本はアメリカとともに、台湾を守るために、戦争することになる可能性が高い。日米同盟は、こうした戦争を最初から予想しており、憲法の新しい「改」釈のもとでは、この戦争は集団的自衛権の一環として許容されるからである。

アメリカに与(くみ)するしかないが、戦争そのものに加担することは回避したい。そのためには、中国の台湾への軍事侵攻が起きないようにするほかない。台湾がアメリカとともに中国と戦争しているとき、日本が傍観者の立場でいることは不可能だからだ。日本は独自の努力によって、中国に、台湾への武力行使を思いとどまらせることができるだろうか。そんな方法はあるだろうか。

教科書的な答えは、中国に、台湾を軍事力によって統一することが中国にとっていかに割に合わないかをわからせるべく、対話を重ねる、ということだろう。が、そんなことが可能ならば、はじめから苦労はしない。普通の国益の論理からすれば、台湾を軍事的に統一したときに中国が支払わなくてはならないコストは非常に大きく、それに比して得られ

るベネフィットは小さい。が、それにもかかわらず――そうしたことは十分にわかってい
るにもかかわらず――、中国共産党に指導された中国は、台湾への執着を捨てることはで
きない。その理由こそ、前節で説明したことだ。対話を重ねても、解決には至らない。

＊

だから、中国に軍事行動をとらせないためには、非軍事的な方法で中国を攻撃し、軍事
行動へと突き進むことを抑止するほかない。非軍事的な方法による攻撃とは、経済的な攻
撃ということである。中国の経済成長を著しく鈍化させるほどの打撃を中国経済に与える
ことだ。それは、世界経済から中国経済をできるだけ切り離すことによって実現されるの
だが、そんなことは、もちろん、日本だけではなしえない。日本とアメリカはもちろんの
こと、世界中の主要な国、できることなら大半の国の協力をとりつける必要がある。具体
的には何をすべきなのか。[*3]

最もシンプルなやり方は、中国からの輸入品に高率の関税を課すことである。すると中
国製品は輸入されなくなり、中国経済はダメージを被る。ただし、この場合には、たいて
い中国側も同様に関税をかけることで対抗してくる。米中貿易摩擦のように、双方で関税
をかけあうために、両国間の貿易は縮小する。ダメージを受けるのは、中国だけではない。

その相手国の方も同様である。

関税は中国からの輸入を縮小し、実質的な禁止にまでもっていく方法だが、反対に輸出を禁止する方法もある。冷戦時代、COCOM(ココム)（対共産圏輸出統制委員会）なるものがあった。これは、かつての西側諸国の協定委員会で、軍事転用できる物資・技術が東側（共産圏）に流出するのを防止することを目的としていた。これと同じように、いくつかの品目について、中国への輸出を制限する（あるいは禁止する）というやり方がある。これもまた、中国という消費者を失い、輸出する側も損失を被る。

中国経済に、これらよりももっと大きなダメージを与えられる方法は、中国への投資をやめること、中国から資本を引き揚げることである。中国経済が成長できた最大の要因は、中国が、グローバル・ヴァリューチェーン（グローバル・サプライチェーン）の中で、枢要な役割を得たことにある。要するに、世界中の多くの企業の生産拠点、つまり工場が中国に集まっているのだ。これらを中国とは別の国に移してしまえば、中国経済は落ち込むだろう。GDPは下がり、雇用も失われる。

先に、日本経済があまりにも中国経済に依存していることを考慮して、米中の対立の中で、明確にアメリカ側に立つことに躊躇(ちゅうちょ)する人がいる、と述べた。そういう人にとっては、今述べたような、経済による対抗手段など、とんでもない、ということになるだろう。しかし、戦争になるかもしれない、その戦争には日本も参加せざるをえない、ということになれば、そんなことは言ってはいられない。

それでは、中国へのこうした経済的な攻撃は、成功するだろうか。中国に台湾侵攻を断念させるほどの効果をもたらすだろうか。結論を言えば、この方法は失敗するだろう。こうした方法で中国の行動を封じるには、中国経済はあまりにも大きすぎる。ここにあげた三つの方法（関税、輸出制限、資本の引き揚げ）は、中国経済にとってだけではなく、それを仕掛けた側にも大きな損失をもたらす。たとえば中国の工場を失えば、倒産してしまう企業はたくさんある。多くの国の経済は、そうした損失に耐えられない。中国の経済成長にブレーキをかけようとすると、自国の経済成長にもブレーキがかかってしまい、自滅してしまうのだ。日本の場合も同じである。

だから、中国経済を世界経済から切り離すためのさまざまな方法は、どれひとつとして、広い国際的な協力を得られず、十分な効果をあげないだろう。だが、繰り返し述べたように、米中の葛藤が深刻化したとき、日本は、アメリカとともに中国と対決しなくてはならない。とするならば、結局、最悪の展開になった場合には、日本の自衛隊は、日本の領土が直接的には攻撃されていない戦争に参加しなくてはならない、ということになるのだろうか。

さしあたってはそうだ、と言わなくてはならない。が、先に示唆しておいたように、これは暫定的な解決法である。短期的にはこうするしかない。だが、実は、アメリカに付き従い、アメリカとともに戦ったとしても、問題の本質的な解決にはならない。数年ではなく、少なくとも数十年を、さらには百年を視野に入れた上での、問題の真の超克ということを考えれば、正解は、「アメリカに加担する」ではないのだ。もちろん、中国を支援するのでもない。そのどちらでもない第三の道がある。そして、それだけが、問題をほんとうに克服する。

権威主義的資本主義

ことを根本から考え直すために、ここで20世紀の「冷戦」がどうして終結したのか、を思い起こしてみよう。冷戦は、実際の戦争、東西の両大国（米ソ）の武力衝突、つまり「熱戦」を経ずして終結した。今、われわれは米中の武力衝突のことを心配しているわけだが、かつての冷戦のときは、武力衝突はなかった。冷戦は、結局、冷戦として終わったのである。武力衝突がなくても問題が解消したのは、どうしてなのか。

西側の資本主義陣営の方が、東側の社会主義体制よりもはるかに経済的に豊かだったからだ。冷戦とその終結を通じて、われわれはひとつのことを学んだ。経済成長をもたらす資本主義なるものは、自由で民主的な社会でしか成功しないらしい、と。資本主義（経済）と民主主義（政治）は車の両輪であって、両者はセットになっている。冷戦が終わったとき、政治家も社会科学者も、おおむねこのような結論に至った。

かつての冷戦のときと同じような展開が、アメリカ側と中国側との間で生じれば、つまり前者が経済的な繁栄で後者を圧倒すれば、武力衝突を経ずに問題は消え去るだろう。しかし、そのような展開は期待できそうもない。今し方述べたように、その成長を押し留めようとするあらゆる策が実効性をもてないほどに、中国経済は大きく、順調だからだ。

今、20世紀を通じて得た社会科学的な認識が反証されようとしている。中国は、民主主義国家ではなく、権威主義のシステムである。この権威主義が、中国の文明的伝統と見なすべき帝国の原理と近代のネーションのやり方とのキメラ的結合によって生み出された、というのが前節で論じたことであった。いずれにせよ、中国は、共産党が支配する権威主義的な体制である。しかし、資本主義としても成功しているように見える。つまり、ここにあるのは権威主義的資本主義だ。これは、うまくいく資本主義は必然的に民主主義を随伴させている、という従来の常識に真っ向から対立している。

権威主義的資本主義なるものが、今後もその繁栄を維持できるものなのか。権威主義的資本主義としての中国経済の発展は、偶発的なものなのか、それとも構造的なものなのか。専門家の意見は大きく分かれている。多くの専門家は、つい最近まで、権威主義の体制のもとでの資本主義の発展は過渡的なもので、その資本主義はいずれ失速する、と見ていた。だが、中国経済には、それほど顕著な失速の兆候はない。そのため、民主主義や自由とセットになっている従来の資本主義とは別に、権威主義的資本主義がありうる、と見るようになった専門家もいる。

権威主義的資本主義とは何か。あらためて定義しておこう。これは、次の三つの特徴をもつ資本主義である。第一に、有能で強い権限をもつ官僚（行政）があること。第二に、法の支配が欠如していること。第三に、国家の民間部門に対する高度な自律性（国家が、特定の観点から政策を実行し、必要と判断したときには民間部門を抑制できるということ）[*4]。中国は、このような意味での権威主義的資本主義である。

権威主義的資本主義は持続するのか。これが、冷戦のときの社会主義陣営のように自滅するのであれば、われわれは米中の本格的な武力衝突を恐れることはない。そんなことが起こらずとも、問題は消えてなくなるからだ。だが、中国の情勢から判断すれば、権威主義的資本主義としての体制を整えた中国共産党の支配は、十年内外といった短期間で崩壊するとは思えない。

＊

そう判断する経験的証拠を二つ示しておこう。ひとつは、安田峰俊による評判のルポ『八九六四』である。[*5] タイトルの「八九六四」とは、1989年6月4日の天安門事件のことを指している。天安門事件とは、政治改革を求めて起ちあがった大学生や市民に対して、当時の中国共産党の最高指導者鄧小平らが人民解放軍を投入して武力鎮圧した事件である。今、振り返ってみると、その半年弱後には、今度は、東欧の社会主義諸国で民主化運動が連鎖反応的に起き、冷戦が終わったのだ。[*6] 東欧の民主化運動よりも中国の大規模デモの方が先にあったのだが、後者は、民主化を成し遂げることなく挫折した。

もし中国の権威主義的体制が早晩崩壊するのだとすれば、資本主義の発展・浸透につれて、中国共産党の支配に不満をもつ者が増え、やがて、各地で、かつての天安門事件のような運動が頻発する、という過程を辿るはずだ。言い換えれば、香港暴動のようなことが中国の内地のさまざまな都市で起きて、やがて体制が維持できなくなる……という経過が予想される。では、八九六四が、現在の中国において再び起きるのか。このことを考える上で、安田のルポは、格好の資料を与えてくれる。

このルポは、天安門事件にさまざまなかたちで関係した多くの人々に対するインテンシヴなインタヴューを集めたものである。インタヴューは、事件からおよそ四半世紀のち、つまり2010年代の中頃に行なわれている。目次に名前があがっている者だけでも、25人もいる。天安門事件の学生リーダーのような有名人もいれば、まったく無名の労働者もいる。天安門事件のときにどこで何をしていたのか。その後はどう生きてきたのか。それぞれに複雑な人生が語られており興味深い。

では、天安門事件のようなことが、現代の中国で再び起きるだろうか。安田が集めた証言は、これに対して、「ノー」という答えを示している。天安門事件に参加した当時の大学生の多くは、あれは未熟な過ちだったとして、今ではビジネスで成功していたりする。民主化の運動に今でもかかわっている者は、つまらぬ派閥争いをしているか、空疎なスローガンだけを繰り返す。まれに、本気で天安門事件の再来・反復を望んでいる者もいるが、それは、知識人重視の中国では影響力をもたない下層の労働者である。

結論的には、現在の中国は、天安門事件に類する民主化運動が起きて、権威主義体制が危機に瀕(ひん)するような状況ではない。香港暴動は、内地に飛び火したりはしない。89年には、共産党が支配する権威主義体制に反抗する政治運動が起きたが、今は、その兆しはない。どうしてなのか。権威主義と資本主義との結びつきが強くなったからであろう。権威主義は、資本主義と結託したことで、圧倒的に強化されたように見える。

もうひとつ見ておきたいデータがある。日本財団が2019年に実施した「18歳意識調査(社会や国に対する意識調査)」という国際比較(9か国)の社会調査だ。[*7] その名の通り、18歳の若者を対象にした多角的な意識調査だ。その中に、「あなたの国の将来」についての予想を尋ねる質問が入っている。あなたの国の将来は良くなると思うか、悪くなると思うか。答えの分布は、はっきりと2パターンに分かれる。インドやインドネシアなどのいわゆる「発展途上国」的な国と欧米や韓国などの経済的に豊かな国とでは、はっきりと異なった分布になる。前者では、「良くなる」と回答した者の方が「悪くなる」と回答した者よりだいぶ多く、前者が7割、後者が1割程度になる。それに対して、豊かな社会では、「良くなる」と回答するものが4分の1程度で、それよりやや多くの人、つまり3割程度が「悪くなる」と回答している(したがって、豊かな国では、どちらとも判断できなかった人が半分近くいる)。

ところが、中国は、この2パターンに入らない例外である。どちらかと言えば、「発展途上国」に近い分布だが、その類型には収まらない異様な分布になっている。「悪くなる」という回答が、限りなくゼロに近く、逆に、「良くなる」と答えた者が、ほぼ100%なのだ。[*8] これから社会人になろうとしている若者が、これほどまでに現状肯定的で、自国の将来に楽天的な見通しをもっているところで、体制の根本的な性格を変更するような政治運動など起こりそうもない。権威主義的資本主義は安泰であるように見える。

「悪いとこ取り」なのに

だが、繰り返せば、権威主義的資本主義は、社会科学や政治の常識に反するシステムである。どうして、現代社会において、こうしたシステムが安定的に維持されているのか。この問いを手がかりにして、困難に対する打開路を見出すことができる。困難とは、アメリカと中国が、場合によっては武力衝突にも至りうるほど深刻に対立しているとき、われわれは何をすべきか、いかにしてこの対立を乗り越えることができるか、という問題である。次節で、この点についてさらに考察を深めることにする。

それにしても、もう一度、強調しておきたい。権威主義的資本主義というものが、いかに奇妙なシステムか、ということを、である。「いいとこ取り」という言い方がある。一長一短のような複数の選択肢のそれぞれの長所（いいとこ）だけをとって集めると、ベストのものができあがる、という意味だ。しかし、権威主義的資本主義は、冷戦期に対立していた二つのシステムの「悪いとこ取り」に見える。

資本主義に対して比較的好意的な人でさえも、資本蓄積をめぐる競争が貪欲で利己的・攻撃的な個人主義を推し進める傾向がある点については、批判的である。また、社会主義体制の問題点は、硬直した官僚制とセットになっている国家権力である。それぞれは、資本主義と社会主義の最悪な部分だ。しかし、両者を結合すると化学反応が起きて、最もタフなシステム、権威主義的資本主義が生まれたのだ。「悪いとこ取り」をしたのに、どうしてうまくいくのか。

疑問を哲学的な観点からも見ておこう。法哲学の泰斗ジョン・ロールズは、かつて、基本財には辞書的順序がある、と主張していた。基本財とは、人間が生きていく上で絶対に必要な事物のことを指す。代表的な基本財は、基礎的自由と所得である。基礎的自由とは、言論の自由や信仰の自由のような重要な自由のことを指す。基本財に辞書的順序があるというのは、基礎的自由と所得の間には、辞書における語の並びのように、決まった順序があって、どちらを優先させるかというような比較や交換の対象にはなりえない、という意味だ。要するに、ロールズの考えでは、人は、富や所得よりも、自由の方を絶対的に優先させる。金持ちであったとしても、奴隷状態にあるなら不幸である。むしろ貧しい自由人であることを望む。

だが、中国の権威主義的資本主義では、ロールズの想定通りになってはいないように見える。中国の人々は、基礎的自由が制限されているのに、富が増えつつあることに大いに満足しており、基礎的自由があるはずの国——日本やアメリカやヨーロッパ諸国——をそれほど羨(うらや)ましがってはいない。ロールズの観点からは、権威主義的資本主義はありえない現象である。どうしてこうしたシステムが、現代社会では問題なく安定して存在できるのかは、説明されなくてはならない。

＊1　この場合の詳細は、橋爪大三郎『中国VSアメリカ——宿命の対決と日本の選択』（河出新書、2020年）

を参照。きわめて明快かつ説得的である。

*2 以下、台湾の独立宣言をめぐる議論は、橋爪大三郎の前掲書（218-221頁）に基づく。

*3 中国経済を世界経済から「デカップリング」する方法に関して、またしても、橋爪大三郎の議論が簡潔にして要を得ているので、ここでもそれに従って論を進める（橋爪、前掲書、324-326頁）。

*4 この定義は、ブランコ・ミラノヴィッチによる「政治的資本主義」の特徴づけに基づいている。ただし、私は、「政治的資本主義」という名称を好まない。『資本主義だけ残った――世界を制するシステムの未来』西川美樹訳、みすず書房、2021年、107-113頁。

*5 安田峰俊『八九六四　完全版――「天安門事件」から香港デモへ』角川新書、2021年。

*6 天安門事件のときに、半年後の冷戦の実質的な終焉(しゅうえん)を予想していた人は、ほとんどいなかった。むしろ、天安門事件は、冷戦の終結がまだずっと先のことであることを予感させていた。

*7 https://www.nippon-foundation.or.jp/app/uploads/2019/11/wha_pro_eig_97.pdf

*8 この質問項目に対するもうひとつの例外が、実は日本である。中国ほど極端な例外ではないが、日本も例外だ。中国と対照的に、日本は、「豊かな国」のタイプに対する例外ということになる。日本の18歳だけが、国の将来が「良くなる」と答えた比率が極端に少なく、1割程度しかいないのだ。「悪くなる」は、その4倍ほどになる。若者が自国の将来に対してほとんどポジティヴな展望をもつことができない、ということに関して、日本人は重く受け止める必要がある。さらに同調査について細かいことを指摘しておけば、同じ豊かな国でも、ヨーロッパとアメリカでは、若干の違いがある。アメリカの若者は、ヨーロッパの若者よりは自国について希望的に観測しており、「良くなる」の比率が「悪くなる」の比率より少しだけ高い。

(3) 権威主義的資本主義

そもそも中国は資本主義なのか

21世紀の前半の国際関係は、米中の対立を軸に展開するだろう。この対立の中で、日本が何をすべきか、何をせざるをえなくなるのか、ということについては前節で述べた。それは、しかし、10年内外のタイムスパンを前提にしたことである。世紀単位を視野に入れたとき、問うべきこと、考えるべきこと、なすべきことは、別のことだ。それが何かを示すためには、もう少し準備が必要だ。まずは、中国の資本主義が何であるかを見ておかなくてはならない。

かつての冷戦は、資本主義と、自らを資本主義ではない別の体制であると主張している体制との間の対立だった。資本主義ではないと主張していた体制、つまり「社会主義体制」が、ほんとうに資本主義的ではなかったのか。少なくとも、今日、われわれが見ていることから判断するならば、社会主義体制は、東欧やソヴィエト連邦が、普通の資本主義になるための過渡的なステージだった、ということである。しかし、今はこの点について、深くは問わないことにしよう。冷戦は、ともかく、資本主義と、それとは別の体制との間の対立という外観をもっていた。

中国とアメリカの対立はこれとは違う。それは、二種類の資本主義の間の対立だ。アメリカに代表されるリベラルで、能力主義（メリトクラシー）を是とする資本主義と、中国の権威主義的な資本主義である。前節の最後に次のように述べた。権威主義的資本主義は、冷戦時代の二つの体制の「悪いとこ取り」であるように見える。それなのに、非常に順調に機能している。実に奇妙なことである。

最初に、よく提起される疑問を片づけておこう。そもそも、現在の中国は、ほんとうに資本主義なのか。マルクスやヴェーバーに由来する、資本主義の標準的な定義で考えてみよう。資本主義は、次の三つの条件を満たしている。第一に、生産の大半が民間所有の生産手段でなされていること。国有・公有の生産手段による生産でないことがポイントである。第二に、労働者の大半が賃金労働者であること。賃金労働者は移動の自由をもち、自己資本で自営しているわけでもない。第三に、何をどのくらい生産するか、いくらに価格を設定するかについての決定の大半が、分権的になされていること。国家が一元的に生産量や生産価格を決定しているわけではなく、個々の生産者が自分で決めることができる、という趣旨だ。

現在の中国は、これら三条件のすべてを満たしており、まちがいなく資本主義である。詳しく解説する余裕はないが、いくつか数字をあげておこう。[*1]「改革開放」以前、つまり1978年以前は、中国の工業生産は、100%国営企業によってなされていたが、現在では、工業生産全体に占める国営企業のシェアは、20%程度である。農業生産に関して言えば、改革開放以前は、大半が、郷(村)の人民公社によってなされていた。しかし、現在では、土地は、「賃貸借契約」の形式で事実上私有されており、農業生産は、「責任制」の名のもとで、ほぼすべて民間によって行なわれている。民間企業は数が多いだけではなく、しばしば大規模である。「総付加価値」のランキングで上位1%の企業(つまりは超大企業)のおよそ3分の2は民間企業である。民間企業があるということは株式会社がある、ということでもある。[*2]

全雇用の中で、国営企業・公営企業に雇用されている労働力は9%に過ぎない。[*3] つまり、ほとんどの労働力は、民間企業に雇われた賃金労働者である。もう少し詳しく言えば、改革開放前は、都市部の労働者の8割近くが国営企業に雇われていたが、現在では、その割合は16%未満である。農村部は、先に述べたように、土地が事実上は私有化されたので、労働者のほぼ全員が民間部門で働いていることになる。

改革開放が始まった当初の段階では、農産物の93%、工業製品の100%、小売商品の97%の価格を、政府が決定していた。しかし、1990年代半ばまでには、価格決定に関して、政府と民間の関係は逆転した。小売商品の93%、農産物や生産材料のおよそ80%に関して、その価格は市場で決定されるようになった。

このように、三つのどの条件で評価しても、中国が資本主義国であると認めないわけにはいかない。

常態としての腐敗

しかし、中国の資本主義は、「スタンダード」であると見なされてきた資本主義、つまりリベラルな資本主義ではない。それは権威主義的資本主義である。前節で述べたように、権威主義的資本主義は、三つの特徴をもつ。①優秀な官僚。②法の支配の欠如。③国家の市場に対する自律性。[*4] この③の特徴が、中国のシステムを、本来の資本主義から逸脱させているように見える。確かに、中国の市場は、政府（共産党）の意思に従うことになる。とはいえ、党は、何らかの理念やイデオロギーの実現といったタイプの政治目的をもつわけではない。党の政治意思は、結局のところ、党の観点からの——企業や消費者の観点ではなく——経済合理性に尽きる。

さらに、これら三つ（とりわけ②）からの派生として、四つ目の特徴を加えておこう。④腐敗・汚職の常態化・必然化。普通は、腐敗は、あるべきではない逸脱で、システムが正しく作動しているときにはありえないもの、あるはずがないものだと考えられている。しかし、中国のシステムにおいては、腐敗はごく普通のことであって、「賄賂（わいろ）」に類するものは、役人や、その他重要なポストに就いている者の正常な収入の一部であると言っても過言ではない。中国の権威主義的資本主義から、腐敗を除去することは不可能なのだ。

だが、ここに、中国のシステムにとっては、少しばかり悩ましいことがある。腐敗は、当然のことながら、不平等を拡大する。そうして生ずる格差が甚だしく大きいとき、一般の人民から、統治の正統性に疑念が向けられることになる。だから、中国の政府としては、腐敗は、あまり目立たない程度に抑制しなくてはならない。ときどき、中国では、党の要人が、汚職を理由に失脚させられることがある。だが、これを見て、中国政府が腐敗ゼロを目指していると思ってはならない。腐敗は構造的なものなので、なくすことは不可能だ。中国政府にとって重要なのは、「自分たちは腐敗をなくそうとしている」というポーズである。それがあれば、共産党の統治そのものが、トータルに正統性を失うことはない。

中国の権威主義的な体制が、資本主義としての発展によって、やがて民主的な体制へと転換する……と、そのような展望をもはやもつべきではないところまで来ている。たとえば、現在の中国を、資本主義の成功とともに権威主義的な体制が終結した韓国のケースと同じようなものだ、と考えてはならない。

毛沢東の二つの失敗

中国が資本主義化したのは、毛沢東の死後、鄧小平が「改革開放」を唱え、市場経済を積極的に容認し、導入したからだ……と普通は言われている。毛沢東には、この点に関して何の貢献もない、と。では、毛沢東がいなければ、中国はもっとずっと早くから資本主義の優等生になることができたのだろうか。

毛沢東の歴史的評価に関しては、「功績七分、誤り三分」というのが、現在の中国共産党の公式見解である。誤りはあったが、功績の方がずいぶん大きい、というわけだ。毛沢東へのこのあいまいな態度は、ソヴィエト連邦でのスターリン評価とよく比較されてきた。フルシチョフによる断固としたスターリン批判と比べて、毛沢東への批判はずいぶん弱腰だ。功績の方がずっと大きかったと言わなくては、批判もできないのだから。

毛沢東が、ごくわずかしか批判されず、むしろ基本的には肯定されているのには理由がある。中国共産党は、毛沢東をトータルに否定することができないのだ。前々節で述べたことが、なぜなのかを説明してくれる。共産党の支配は、古典的な中華帝国の原理を、ナショナリズムに転用したものだ、と述べた。毛沢東を、天命を受けた皇帝だと見なせばよい。後の指導者たちは、その「皇帝」を正統に継承している（禅譲されている）ということ、ただその一事によってのみ、まさに「皇帝」として君臨することができる。後の指導者たちにとっては、毛沢東を否定することは、自分自身の正統性の否定を含意している。鄧小平に対して毛沢東がやったことを思えば、鄧小平には、毛沢東を批判する十分な「権利」があるように思うが、しかし、その鄧小平すら毛沢東を全否定するわけではない。[*5]

だが、毛沢東の功績は「七分」なのか。毛沢東以後の中国共産党の指導部は、ほんとうは、内心で「功績三分、誤り七分」と思っているのではないか。いや、それどころか、九分くらいは誤りだったと思っているのではないか。この点については詮索するつもりはないが、しかし、中華人民共和国が成立した後の毛沢東の政策には、歴史的な大失敗が二つあった、と見なされている。ひとつだけでも凄まじいが、二つであることがすごい。つまり、ひとつ目の失敗で、完全には失脚しなかったところがすごい。二つ目の失策が、失敗だったと正式に認定されたのは、毛沢東の死後である。二つの失敗についてはよく知られているが、ここで再確認しておこう。

第一は、「大躍進」と名付けられた、1958年に始めた経済政策だ。経済に関して「15年でイギリスに追いつく」を目標に掲げたが、15年も続かなかった。鉄鋼などの増産を図ったが、躍進どころか、逆に「大凋落」の大失敗で、さすがの毛沢東も、1962年には、この政策を撤回せざるをえなかったからだ。

たとえば、全国の農村に、土法炉なる原始的な溶鉱炉を造らせ、そこで製鉄させた。農機具をはじめとするあらゆる鉄製品が、この溶鉱炉に投げ込まれた。しかし、そんな原始的な溶鉱炉では、使い物にならない粗悪な鉄しか作ることができない。何とか使えていた日常の鉄製品が、何にも使えない粗悪な鉄に化けただけだ。農民たちは、鉄作りに忙しく、農作業はおろそかになった。そもそも、農作業に必要な道具の多くを失った。また、溶鉱炉のための木炭を得るために、森林は伐採された。その結果、食糧生産高は激減した。そこに天候不順も重なり大飢饉になった。大躍進政策は、大量の餓死者を含む、一千万人規模の犠牲者を出したとされている。毛沢東のもとには、順調にいっているという虚偽の報告がなされていたが、これほどの惨禍はごまかすことはできない。毛沢東も、政策の続行を断念せざるをえなかった。[*6]

第二の失敗は、文化大革命である。大躍進政策は、失敗ではあっても、目標は（一応）はっきりしていた。文革は、しかし、目標すらはっきりしない。何のための革命だったのか。が、それは、1966年に始まった苛烈で、徹底した運動であった。そして、毛沢東以外のすべての人の眼に、不合理な破壊活動のように見えていたはずだが、しかし、動き始めたら、止まらなくなってしまった。毛沢東が生きている限りは、である。実際、毛沢東が死んだ年、つまり1976年に、文革は、その主要な推進者である江青ら四人組が逮捕され、終結した。文革中、粛清等によって大量の犠牲者が出た。文革によって死亡した者は何人だったのか。その正確な数はわからない。一千万人はくだらないだろう。

最大の「走資派」

さて、今日、振り返ってみると、大躍進の目標は、とうに達成されている。中国のGDPは、2010年に日本を抜き、現在、アメリカに次いで世界第2位である。近い将来、アメリカを抜いて世界第1位になるだろう。中国のGDPがイギリスのGDPを追い抜いたのはいつだろう。2006年である。この年、大躍進政策に際して毛沢東が目指したことが実現したことになる。

ところで、一部の論者は次のように述べている。文革こそ、資本主義的な発展のためのエートスを準備したのだ、と。[*7] 厳密に実証することはできないが、文革が何であったかを振り返れば、この主張には、一定の説得力がある。どのような意味なのか、説明しよう。

文革のメッセージを一言で要約するならば、次のようになるだろう。「何に反抗し、何を否定してもよい、毛沢東という頂点に対してだけ帰依していれば」。文革によって、中国人は、伝統的な社会関係や伝統的な権威から自由になった。[*8] ところで、資本主義の特徴は、たえざる革新にある。資本主義にとっては、伝統への執着は足かせ以外の何ものでもない。こう考えると、資本主義こそ、真の文化大革命、日々の継続的な文化大革命である。

そうだとすれば、毛沢東の文革は、資本主義的な革新のための地ならしだった、と考えられなくもない。

中国の伝統的な統治イデオロギーである儒学と関係づければ、文革は次のように意味づけられるだろう。儒学には、恭順すべき究極の対象が二つある。父（孝）と君主（忠）である。孝と忠の間には、潜在的な葛藤・矛盾がある。このことを前提にしてみると、文革の特徴を正確に言い当てることができる。文革の、中国史上他に類を見ない斬新さは、子（の世代）に親（の世代）を批判させたことにある。それが紅衛兵である。すると、こう言えるだろう。文革は、儒学の「孝」の部分を完全に否定するとともに、[*9]「忠」についても、頂点の「皇帝＝毛沢東」への忠誠に純化・徹底させたのだ、と。要するに、文革は、中国の伝統を、たった一点を除いて、すべて否定し、排除しようとする運動だった。その残った「一点」は、今日でも、共産党中央への忠誠心として生き延び、権威主義的体制を支えている。

したがって、文革が、鄧小平によって主導された資本主義化（改革開放）を受け入れうる態度を準備した、という仮説には一定の説得力がある。文革がすべてを用意したと主張すれば、もちろん言い過ぎだが、10年以上の文革の体験が、その後にやってくる資本主義の受け入れを容易にした、ということはできるだろう。このことを思えば、鄧小平は、毛沢東を否定して改革開放を始めたわけではない、ということになる。彼は、客観的に見れば——当事者たちの意図や意識とは別に客観的に見れば——、毛沢東を継承したのだ。

都市伝説的なエピソードのひとつだが、鄧小平は、死の間際に、何があなたの最大の功績だと考えているかと問われたとき——そこにいた誰もが予想していた答え「改革開放」ではなく——多党制への誘惑に抗して、一党独裁を守ったことだ、と答えたという。この話は、真偽のほどはわからないが（多分、作り話だが）、いずれにせよ、1989年6月4日の天安門事件のときに鄧小平がとった、学生たちへの過激な弾圧の姿勢は、一党独裁を維持しようとする彼の強い意志を示している。鄧小平は、文革が残したあの「一点」を守り抜いたのである。

そうすると、われわれはこうも言うことができるのではないだろうか。毛沢東は確かに誤った、誤ったのは、何よりも「順序」であった、と。最初に「文革」をやって、そのあとに「大躍進」を試みていたら、毛沢東は成功していたかもしれない。改革開放以降、中国共産党が実行してきたことは、まさしく大躍進政策のやり直しである。

するとふざけて——そして文革時代の造語を用いて——言いたくなる。毛沢東こそは最大の（意図せざる）「走資派」であった、と。走資派とは、資本主義の路線へと走る裏切り者という意味である。文革のとき、数えきれないほどの人民が、「走資派」というレッテルを貼られ——もちろん冤罪である——、辱めを受け、殺害された。だが、嵐の中心には、ほかの誰よりも徹底した走資派がいたのだ！

法則を逆走する

今、毛沢東がなすべきだったことの順序が逆だった、と述べた。「順序」と言えば、もうひとつ逆になっていることがある。中国の権威主義的資本主義は、マルクス主義の教科書に書いてある法則を反転させているように見えるのだ。客観的な法則と見なされていたこととは、まったく逆のこと、時計を反転させるようなことが起きている。

マルクス主義の教科書には次のように書いてある。生産力が大きくなると、やがて、既存の生産関係が、さらなる生産力の発展にとって桎梏となる。資本主義的な生産関係は、一方には、生産手段をもつ資本家がいて、他方に、（二重の意味で）自由な労働者がいて、両者が賃金労働というかたちで結びつく、というものだ。このような生産関係は、ある段階で、十分な生産力の発展を阻害するものになる。このとき、（資本主義的な）生産関係を変える革命が起き、社会主義が到来する。そうすると、さらなる生産力の拡大が可能になる、云々。

しかし、中国で起きたことは、このマルクス主義が想定していた因果関係の順序を、逆走しているように見える。まず、社会主義的な生産関係が、生産力の発展にとって桎梏となっていた。社会主義的なやり方にこだわっているがために、生産力が伸びなかったのだ。そこで、生産関係を、資本主義的なものへと転換した。「改革開放」によって、先に述べたような、資本主義の三つの条件を満たすようなシステムにした。すると、生産力が発展した。これが、中国で起きたこと、起きつつあることである。

伝道への情熱の欠如

リベラルな資本主義を営む西側諸国が、とりわけアメリカが、恐れていることは——中国が成功するとすれば——権威主義的資本主義が、世界中に「輸出」されるのではないか、ということだ。世界中に、とりわけ経済成長に関して後れをとっているアジア、アフリカ、そしてラテンアメリカ諸国に、中国を模倣して、権威主義的資本主義が生まれるのではないか。これまでも、グローバルサウスで、権威主義的な体制、独裁的な体制が生まれることはあったし、現在でも存在している。しかし、これらの諸国は、現代の中国とは違って――改革開放前の中国のように――、経済的にはいつまでも停滞したままであり、中国のような優秀な資本主義国となることはなかった。これら、「挫折した資本主義」は、アメリカや西側諸国にとっては真の脅威ではない。[*10] しかし、もし、それら諸国が、中国型のシステムを取り入れ、成功したとしたらどうか。

だが、こうした心配は杞憂に終わるだろう。いわゆるグローバルサウス的な地域に、権威主義的資本主義の諸国家がたくさん出現する、ということはないだろう。私はそのように推測している。根拠は二つある。

第一に、中国は、自身の制度を諸外国に輸出することに、さして熱心ではない。ここが、アメリカと中国で大きく違うところである。アメリカは、自らのモデルを世界に普及させようとしている。それは、ほとんど宗教的な情熱をもった伝道の活動に等しい。そして、アメリカは、その伝道にたいていい失敗してきた。しかし、中国には、そのような意味での失敗はない。なぜなら、そもそも、自分のやり方を輸出しようという情熱に乏しいからだ。

どうして、中国は、自分の制度の輸出にさして熱心ではないのか。それは、前々節で述べたことにすでに含意されている。つまり、これは、中国の中華意識と関係したことがらである。中国は、自国をワンオブゼムの国民国家としてではなく、世界で唯一の真の文明国と見なす傾向がある。[*11] 周囲にいるのは、基本的には蛮族である。生蕃（教化に服さない蛮人）と熟蕃（帰順した蛮人）の違いこそあれ、蛮族は蛮族だ。蛮族に、文明国のやり方をそのまま輸出する意味はない。

中国は、現在でも中華意識をもち、他国を対等に見てはいない。このことは、この国が、同盟国を（ほとんど）持たないところによく表れている。冷戦のときでさえも、中国は、ワルシャワ条約機構に加盟していたわけではないし、ソ連と軍事同盟を形成していたわけでもない。なぜ、中国は、他国と同盟しないのか。同盟は、基本的には、自／他が対等であることを前提にしているからだ。[*12] 同盟は、中華意識とは両立しがたい。現在でも、中国の同盟国は、北朝鮮だけだが、中国－北朝鮮の関係は、とうてい対等とは言えないので、これは、通常の意味での同盟ではない。

近年の「一帯一路」の構想は、こうした態度からの変更をいくぶんか示しているように見える。が、それは十分に徹底した変更ではない。一帯一路も、対等な諸国家の同盟関係を目指しているとはとうてい言い難い。一帯一路とは、中国が融資し、改良したインフラを通じて複数の大陸をつなごうというプロジェクトである。中国の影響力を広めようとするものだが、その中に組み込まれた諸国は、同盟国ではない。むしろ、中国という一大帝国の周辺や朝貢国のようなものである。[*13]

集権化と分権化の絶妙なバランス

このように、中国は、自国の制度を積極的に輸出しようとはしていない。だが、そうだとしても、中国の成功を見た「発展途上国」の政治指導者たちが、それを自発的にまねしてみようと思うのではないか。自分たちもそのやり方を取り入れようとするのではないか。そうすれば、中国側で輸出の努力をしなくても、結果的に、中国型の権威主義的資本主義が世界中に蔓延(まんえん)することになるのではないか。

だが、そもそも、中国の権威主義的資本主義は、他の「発展途上国」によって模倣可能なものなのか。それは難しい、と言わざるをえない。このことが、グローバルサウスに権威主義的資本主義が波及することはないだろう、と予測する第二の理由である。中国の資本主義を支えている政治システムの根本的な特徴は、中央集権化（権威主義）と地方分散化の絶妙なバランスである。[*14] そうしたバランスは、中国以外の場所ではめったに実現しない。

中国のような広大で人口の多い国では、地方レベルの共同体に、かなりの政治的なイニシアティヴがなければ、秩序を維持することはできない。しかし、にもかかわらず――こちらが肝心なポイントである――、その地方レベルの共同体を統治する政治家や官僚が、中央に対して忠誠心をもち、中央組織に認められること、中央組織において昇進することを最大の目的としていなくてはならない。地方レベルの政治を動かすことができるエリートが、中央からの命令や中央との関係での成功よりも、地方の共同体を基盤にした自立を優先させてはならない。中国の各地の都市や地方が、香港のように「一国二制度」「一国N制度」を要求し始めたら、中国の権威主義的資本主義は成り立たない。「幸い」と言うべきか、現実の中国では、地方の共同体に十分な政治的イニシアティヴがあるにもかかわらず、真の自立への要求は生じない。

こんな都合のよい政治システムは、またしても、中華帝国の伝統の中から生まれたものである。中国自身か、もしくは長い歴史の中で中国を模範とし、それをコピーしようとしてきた民族――たとえばベトナム――でなければ、同じような中央集権的にして分権的なシステムを再現することは難しい。つまり、ほとんどの国や地域にとって、中国を模倣することは至難である。

たとえばインドの経済成長が注目されている。中国の次はインドである、と。確かに、インドのGDPは伸びている。しかし、インドの経済が、中国やアメリカに追いつくことはないだろう。インド亜大陸の社会システムでは、分散化しようとする力が非常に強く働いてきた。しかし、この大陸では、この分散化する力に拮抗（きっこう）できる中央集権化の力は働いていない。インド亜大陸にも、ムガル帝国のような帝国が存在していた時期もあるが、歴史を大きく見るならば、そうした時期は例外であって、インド亜大陸では、小国が分立している状態が一般的である。インドは、今日、ひとつの国民国家ではあるが、中国と比べるとバラバラだ（ただしそれは必ずしも悪いことでもない。よく言えば、インドは、中国よりずっと「民主的」である）。インドで使われている言語の多様性を見るだけでも、その分散ぶりはよくわかる。インドでは少なく数えても30の言語が話されているとされており、公用語に関しても、連邦レベルの二つ（英語とヒンディー語）だけではまったくたりず、州ごとに公用語が定められている。[*15] インドでは、中国のような権威主義的資本主義は成り立つことはないだろう。

だが、「世界帝国」を歴史的に形成してきたという伝統が利いているというならば、その種の帝国は、中国にだけあったわけではない。特に重要なのは、イスラーム教が普及した地域にあった帝国である。そこには、中華帝国に匹敵する大帝国があった。それならば、イスラーム教をイデオロギー的な基礎にして、その地に、中央集権的・権威主義的な資本主義が実現することはないのか。

ところが、そうはいかないのだ。今日、イスラーム教は、この宗教を信じている人々を連帯させる原理としては働いていない。イスラーム教は民族宗教ではなく、典型的な世界宗教である。にもかかわらず、今日、イスラーム教は、信者たちを統合するのではなく、信者の間の分裂や対立に利用されている。どうしてそうなってしまうのか、その仕組みは、いささか複雑で、ここで書くことはできない。いずれにせよ、イスラーム教を看板にかかげる、原理主義者、テロリスト、政党、政権などはたくさんあるが、彼らは、まさにそれぞれのイスラーム教を表向きの理由にして互いに反目しあい、対立しあっていることからも、イスラーム教が現代社会の中でどのように働いているのかは一目瞭然であろう。中国では、伝統的な帝国の原理をナショナリズムに転用することに成功したが、イスラーム教は、ナショナリズムにも活用できず、むしろ、ナショナリズム以前の部族主義的な態度を温存し、さらには強化するのに活用されている。イスラーム教の伝統がある地域では、権威主義的資本主義は生まれそうもない。

したがって、アフリカや中東、あるいはラテンアメリカに、中国と似たような権威主義的資本主義が現れ、成功する可能性は低い。中国は、自分のやり方を輸出しようとはしていないし、それらの地域の政治家が中国を模倣しようとしても、うまくはいかないからだ。

そうだとすると、アメリカとしては、少しは安心、ということになるのだろうか。「敵」は中国だけなのだから。ところが、そうではないのだ。権威主義的資本主義は、中国だけには留まらず、最も思いもよらぬところから現れるからだ。そのことを考慮に入れたとき、はじめて、世紀単位の長期的スパンを視野に入れて考えるべきこと、なすべきことが何であるかを、説得的に示すことができる。中国以外のどこに、そんな強力な権威主義的資本主義が出現するのか？

＊

＊1　ブランコ・ミラノヴィッチ『資本主義だけ残った――世界を制するシステムの未来』西川美樹訳、みすず書房、2021年、103-106頁。なお、次も参照。橋爪大三郎『中国VSアメリカ――宿命の対

決と日本の選択』河出新書、2020年、113頁以下。

＊2　ただし、中国の株式会社には、人事権をもつ株主総会は存在しない。株は、利益の配当に与る権利ではあるが、しかし、企業の人事や経営に介入する権利ではない。では、人事権や経営監督権は誰に帰属するのか。株式会社を成立し、株式をもっている親会社である。その親会社は、最終的には、しばしば国営企業である。したがって人事権等は、究極的には、政府の該当部署だということになる（橋爪、前掲書、113－114頁）。

＊3　この9%という数値は、1980年代初頭のフランスの水準におおむね対応する、とミラノヴィッチはコメントしている。

＊4　注2で述べたことは、この特徴に関連している。株式会社の人事権・経営監督権を根の方にまで辿れば、多くの場合、最後は政府に行きつく。したがって、中国の企業は、最終的には、共産党中央の意思（政治目的）に従っていることになる。

＊5　ここでは詳しくは論じないが、ソ連では、中国とは異なる論理で支配構造が維持されている。そのため、スターリン批判が可能だった。

＊6　毛沢東に関して、さまざまなエピソードが知られている。たとえば、彼はあるとき、こううそぶいたという。「何万人死んだ、何十万人死んだ、などとなぜ騒いでいるのだ。人間、死ぬのが当たり前だ。死ななくなったらもっと困るではないか」

＊7　たとえば、以下の本に付せられた、スラヴォイ・ジジェクの序文を見よ。Mao Zedong, *On Practice and Contradiction*, London: Verso, 2007.

＊8　徹底した破壊と毛沢東への徹底した忠誠との間には、強い相互依存の関係がある。毛沢東という中心に

トータルに、無条件に自らを委ねることができたからこそ、安心して、ほかの何もかもをも破壊することができたのだ。全面的に帰依することができる安全な中心がなければ、自身の足下をも掘り崩すような破壊活動に手を染める勇気は出てこなかっただろう。「造反有理」の造反の対象から、毛沢東＝中心だけが排除される。あるいは、毛沢東の存在こそが、究極の――そして唯一の――「理」であったと言ってもよい。

＊9 中国共産党のトップの地位は、まったく世襲とは無関係な原理に従って継承されている、という事実もこれと関係がある。文革があったからそうなったわけではないが――というより文革のようなものをなしうるほどに父子関係に対して敬意や愛着を欠いた人物が「共産党」王朝の創始者だったために、歴代の中国の王朝とは違って、現代の中国では、前の指導者の息子が次の指導者になるわけではない。この点が、北朝鮮とまったく異なるところである。いずれにせよ、トップの地位が世襲されなかったことは、現代中国にとっては幸いだった。

＊10 イマニュエル・ウォーラーステインの世界システム論の考えでは、これらの諸国は、単純に後れをとった資本主義国ではない。「世界経済」という形態をとった資本主義的な世界システムの中で、これら諸国は、構造的な周辺国として組み込まれ、中心国による搾取の対象になってきた。こうした世界システム論の構図を参照すると、中国は、この理論の想定の中にはなかった発展の経路を辿っていたことがわかる。

＊11 マーティン・ジェイクス『中国が世界をリードするとき――西洋世界の終焉と新たなグローバル秩序の始まり』上・下、松下幸子訳、NTT出版、2014年。ミラノヴィッチ、前掲書、142-143頁。

＊12 日米安保条約のように、結果的に、かなりの非対称性を含意する同盟はたくさんあるが、それは、建前上は、対等な国同士が非対称の関係に合意した、ということである。最初から、非対称の関係であって

は、同盟は結ばれない。

*13 一帯一路の中に組み込まれた諸国で投資紛争が起きたとき、中国が設立した裁判所の権限で処理できるようにする、という計画もあるらしい（Elizabeth Economy, "China's New Revolution: The Reign of Xi Jinping", *Foreign Affairs* 97 (3), pp. 60-74, 2018）。もしこの計画が実現したら、それら諸国は、ほんとうに、半ば中華帝国の一部である。

*14 Xu Chenggang, "The Fundamental Institutions of China's Reforms and Development", *Journal of Economic Literature* 49 (4), pp.1076-1151, 2011.

*15 インドの州公用語は18である。これは、中国では考えられない分散状況である。中国人も、相当に多様な言語を話しているのだが、彼らは、それら多様な言語は同じ中国語の中の変異（方言の違い）であり、自分たちはひとつの言語をもっているという——主として文字言語の共通性からくる——強い確信をもっている。

(4) ふたつの資本主義が残るのか?
否、残るとしたらひとつだ

それはアメリカである

中国の権威主義的資本主義が、グローバルサウスに輸出されることはない。そもそも、グローバルサウスの政治家や指導者が、中国のような権威主義的資本主義を模倣しようとしても、成功しないだろう。そうすると、権威主義的資本主義が成立するのは、中国だけなのか。そうではない。権威主義的資本主義は、最も意外なところから現れる。前節の最後に、このように予言しておいた。それはどこなのか。

思わせぶりなことを言うのはこのくらいにして、先に結論を提示してしまおう。権威主義的資本主義へと変貌する可能性があるのは、それと敵対している陣営、つまりリベラルな能力主義的資本主義である。とりわけ、その中心にいるアメリカだ！

だが、まちがってはいけない。アメリカと中国では、背景にある伝統があまりにも違う。内面的なエートスや精神の点で、アメリカ人が中国人のようになることは絶対にない。価値観やイデオロギーという点では、アメリカは中国化することはあるまい。しかし、重要なのは行動、外的に現れる行動である。外形的な行動に着眼したときには、アメリカの資本主義は、意図せざるかたちで、権威主義的資本主義に近づいていく可能性がある。アメリカは中国を、強く批判し、憎んでさえいる。しかしそれでも、アメリカの相貌は、敵である中国のそれと似てきている。その兆候はすでにある。

どのような意味で、そしていかなる原因で、アメリカのリベラルな資本主義が、それと真っ向から対立しているはずの権威主義的資本主義に漸近しつつあるのか。類似は、システムの相対的に派生的な（つまり枝葉の）性質と基礎的な性質の両方に関係している。前者のレベルから後者のレベルへと遡るようなかたちで説明していこう。

アメリカの金権政治

トマ・ピケティをはじめとする多くの経済学者が示してきたように、世界中のリベラル資本主義国において、経済的な格差、つまり所得や資産の不平等の程度は、拡大しつつある。リベラル資本主義に含まれる諸国の中でも、アメリカの格差は最も大きい。所得の格差を測る指標として最もよく知られているジニ係数を見ておこう。1980年のアメリカのジニ係数は、およそ0・3だった。2018年には、それが0・39になっている。一般に、ジニ係数0・4が、社会騒乱多発の警戒ラインだとされているので、アメリカは、危険水位にきわめて近いところまで来ている。西ヨーロッパの国の中に、アメリカよりジニ係数が高い国はない。最も高いイギリス（2018年）で0・37だ。日本のジニ係数は、2018年の段階で0・33である。

所得の格差が大きくなっているという事実をもって、アメリカが中国に似てきた、などという単純なことを主張しようとしているわけではない。格差について確認しているのは、これから述べることを理解する上での前提になるからだ。ちなみに、中国の格差は、アメリカを顕著に上回っている。中国については、信頼できるデータが少ないので、厳密な数値を計算することは難しいのだが、それでも、格差がアメリカよりもはるかに大きいことは確実である。ブランコ・ミラノヴィッチは、2013年頃の中国のジニ係数を0・5に近いと推定している。[*1]

もう少し、アメリカにおける格差とその拡大傾向に関連する事実を見ておきたい。世代間の社会移動が著しく低下していることが、明らかになっている。順位比較（親と子の相対的な所得順位の相関）で見ても、また世代間の所得弾力性（親の所得と子の所得の相関）で見ても、社会移動の低下をはっきりと見てとることができる。「1949-53年に生まれた集団」と「1961-64年に生まれた集団」の比較に関して、「息子」の数値だけ紹介しておこう。[*2]

	49-53年生		61-64年生（息子）
順位比較	0・17	↓	0・36
所得弾力性	0・13	↓	0・43

どちらの数値も大きく上昇している。これらの数値の上昇は、金持ちの親のもとに生ま

れた息子は、自分自身も金持ちになり、貧しい親の息子は、大人になってからも貧しい、という傾向が高まっていることを示している。もちろん、「娘」に関しても同様の傾向を見てとることができる。要するに、貧しい家庭に生まれたが、自分は金持ちになる、という者が減っている。

ブランコ・ミラノヴィッチは、特に、結婚のパターンに注目している。アメリカでは、階層的な「同類婚」に、著しい増加傾向が見られる、と。つまり、金持ち同士、貧乏人同士の結婚が増え、一方は金持ちだが、そのパートナーは貧しいという組み合わせが稀になっている。[*3] 金持ちの女性（労働所得上位10％に入っている20-35歳の女性）が、自分と同程度の順位の金持ちの男性（労働所得上位10％に入っている20-35歳の男性）と結婚した率と、逆にかなり貧しい男性（労働所得下位10％に入っている20-35歳の男性）と結婚した率とを、1970年と2017年で比較すると、次のようになる。

アメリカの金持ちの女性はどの階層の男性と結婚したか

	1970年	2017年
金持ちの男性	12・9％	26・4％

貧しい男性　11・0%　5・6%

1970年の数字が、つまり金持ちの男性と結婚した率と貧しい男性と結婚した率がほぼ等しい上に、その値が10%に近い（つまり階級の幅にほぼ等しい数字）というデータが意味していることは、この時期の裕福な女性は、パートナーの所得をほとんど気にしていない、ということである。1970年の金持ちの女性は、金持ちの男性を特に好きになっていたわけではない。所得とは無関係な別の理由によって、パートナーを選んでいたと考えられる。ところが、2017年の金持ちの女性は、金持ちの男性を貧乏人の男性よりはっきりと好む傾向を示している。数値はあげないが、男性側の結婚相手の選択についても、この期間に同じような変化が起きている。金持ち同士が結婚し、貧乏人同士が結婚すれば、家族単位で見たときの格差は、ますます大きくなる。そして、階層の分断、両極化の傾向が強まっている、ということになる。*4

このように、アメリカでは、格差が拡大し、世代を超えて富裕層／貧困層が固定化されつつある。だが、アメリカが民主主義の国家であることを考えると、これはふしぎなことではないか。上位層の持続・固定は、上位層自身が、政治を主導しない限り不可能である。

だが、民主主義においては、原理的には、すべての国民に平等な政治的影響力があるはずだ。所得に応じて「一票」が重くなっているわけではない。したがって、純理論的には、民主主義国家においては、富裕層が自分自身を永続させることはできない。所得が拡大し、富裕層が固定化されつつあるということは、金持ちが、不釣り合いな政治的影響力を発揮していることを示している。アメリカの金持ちは、いかにして、自分たちのさらなる富裕化（格差の拡大）や世代を超えた持続にとって有利な法や制度を、政府に制定させることに成功しているのか。

答えは難しくはない。政党や政治活動への資金提供を通じて、である。たとえば、2016年（大統領選挙があった年）において、選挙用の献金総額の40％を、所得上位1％のさらなる1％（つまり上位0・01％）が寄付していた。[*5] 寄付は賄賂ではないので、何か具体的な利益供与の依頼を伴ってはいない。しかし、実際には、資金を提供する者は、見返りを、つまり自分（たち）に有利な政策を求めている。資金を得た者も、もちろんそのことを自覚しているし、もし資金提供者の期待を裏切れば、その後の寄付がなくなり、自らの政治活動が困難になると予想しているだろう。[*6] だから当然、富裕層の持続に有利な政策が選択される確率は高まる。

これは、要するに、一種の金権政治である。金持ちは、その資金力によって、議会や大統領に影響力を行使し、相当程度恣意的に、自分たちに有利な法を作ることができる。するとどうなるのか。アメリカの資本主義は、実質的に、「法の支配」がない状態に、あるいは「腐敗」が一般的であるような状態に、一歩、近づくことになるのではあるまいか。もちろん、アメリカには「法の支配」の理念があり、それを実効的なものとする制度も機能している。中国のように、「腐敗」が、公務員の普通の収入の一部になっているわけでもない。しかし、今述べたように、現代のアメリカでは、合法的に金権政治の原理が貫徹する。その結果として、アメリカのリベラルな資本主義は、当事者たちにそのつもりはなくても、権威主義的資本主義に近づくことになる。

これは深刻な問題だが、しかし、リベラルな資本主義にとって構造的な問題ではない……と考える者もいるだろう。富と政治権力との結びつきを断てば、この問題は解消されるはずだ、と。たとえば、政治運動への資金提供を制限し、資金の出所を公的資金に限定すれば、問題は消えるはずだ、と。だが、そう簡単には問題は解決しない事情がある。現在のアメリカのリベラルな資本主義それ自体が、富裕層にとって（結果として）有利になる法と政策を必要としているからだ。富裕層だけがそのような法と政策を求めているわけではない。システムがそれを必要としているのだ。その点をさらに説明しよう。

レント資本主義

繰り返せば、現在のアメリカ社会の中の格差は、著しく大きい。ＦＲＢ（連邦準備制度理事会）がまとめたデータによると、２０２０年の上半期の段階で、アメリカ社会の格差は、上位50人の金持ちの資産額の合計が下位半分（約1億６５００万人）の資産の総額とほぼ等しくなるところまで来ている。上位１％まで範囲を広げると、その資産額の合計は、下位半分の資産額のおよそ17倍になる。

これほど法外な格差が生ずる最大の原因はどこにあるのか。先に結論を言ってしまおう。原因は、本来はコモンズ（共有物）であるべき文化、「一般的知性」の領域に、私的所有権が設定されていることにある。一般的知性とは、マルクスの概念で、人間の集合的な実践の中から自然発生してきた広義の知的産物のことである。一般的知性の究極の実例は、言語である。もし誰かが、言語を――そのすべてではなくてもその一部を――自分のものだと主張し、使用料を徴収したとしたらどれほどとてつもないことかを考えてみるとよい。現在、起きていることは、これと似た事態である。どういうことか、説明しよう。

ＧＡＦＡＭはどうしてあれほど儲かるのか。彼らのビジネスは、当然ながら、インターネットという土台があるからこそ可能になっている。だが、考えてみると、インターネットは、アマゾンやグーグルが発明したわけではない。ジェフ・ベゾスやラリー・ペイジが、インターネットを含む一般的知性の蓄積に付け加えたことは、ごくわずかなことだ。彼らがやっていることは、自然の産物である土地を——したがって共有地を——囲い込んで、私的所有権を主張したあのやり口と同じである。土地はもともとあったものであって、地主が創ったわけではないが、囲い込んでしまえば「自分の所有物」である。同じことはサイバースペースにもいえる。アマゾンやグーグルは、サイバースペースの中の共有地を、ささいな理由によって囲い込み、それを自らの私有地としているのだ。ジェフ・ベゾスの資産が、アメリカの平均的な中産階級の年収の１００万年分以上になるのは、このためである。[*7]

利潤を生み出すカラクリは、単純化してしまえば、次のようになる。それが「私有地」であるならば、その土地を他人に使わせることで、その他人から「賃貸料（レント）」を取ることができる。ＧＡＦＡＭの収入は、基本的にはこの「賃貸料」である。この状況を指して、「レント資本主義」と呼ばれることがある。「いや、私は、グーグルやアマゾンをただで使わせてもらっているよ」と思うかもしれないが、その場合には、利用者は、グーグルやアマゾンに個人情報を渡してしまっている。ショシャナ・ズボフが看破しているように、その個人情報こそ最大の剰余価値の源泉である。[*8] グーグルやアマゾンに、個人に対するそこまでの監視が可能なのは、そのプラットフォームが、彼らの私有地として扱われているからである。[*9]

現代の資本主義において、搾取の最大の武器は、サイバースペース上のプラットフォームやコミュニケーション手段の上に設定された私的所有権にあるという。この私的所有権は、ヴァーチャルな空間の上での、純粋に法的な擬制である。物理的な対象に対する所有権であれば、それを誰かが実際に使用しているとか、それを誰かが占拠しているとか、といった法以前的な自然の事実によってある程度は支持されている。しかし、ヴァーチャルな空間の私的所有権は、いかなる自然の事実によっても守られてはいない、まったく恣意的で作為的な虚構の設定だ。それは、正統なものとして受け入れられている法によって守られなければ、無に等しい。

そうであるとすれば、サイバースペース上の私的所有権を活用して利益を得ている資本は、そうした法をインターネット上のすべての参加者に強制できる直接的な「権威」をどうしても必要とする。つまり、経済から相対的に独立した強い国家権力が必要になる。そのような国家権力をもつ資本主義は、まさに、権威主義的資本主義ではないか。レント資本主義の形態をとる現在のリベラルな資本主義は、結果的に、権威主義的資本主義によく似たシステムへと変貌していく。

そもそも、１９８０年頃までまったくうまくいっていなかった中国の経済が、どうして、20世紀末から21世紀初頭にかけての時期に、急に成功したのか。中国共産党の指導者が賢くなったのか。毛沢東より、鄧小平や習近平が頭がよかったからか。ひとりやふたりの知的能力によって、これほど劇的な違いは説明できない。世界経済、グローバルな資本主義が、中国の伝統的な行動様式に適合的なものへと変化してきたことが原因である。鄧小平や習近平は、その追い風の中を走ったのだ。その成果が、権威主義的資本主義である。今日では、これを批判し、著しく嫌悪しているアメリカまでもが、つまりリベラルな資本主義の中心地でさえもが、資本主義を維持し、その中で成功をおさめようとすると、結果的に、権威主義的なシステムへと変貌せざるをえなくなっている。こういう状況だから、中国は成功したのである。

基礎的な不安

実は、リベラルな資本主義が権威主義的資本主義へと漸近してしまう、もっと深い原因もある。前項で述べたのは、資本主義の現段階に、権威主義的資本主義への傾きを生み出す原因がある、ということだった。それだけではなく、資本主義というものが本質的に、権威主義的なタイプへと変容しうるポテンシャルを内在させている。資本主義が必然的に権威主義的なタイプになるわけではないが、しかし、権威主義的なヴァージョンへと転換しやすい脆弱(ぜいじゃく)性のようなものを資本主義は内在させているのだ。マルクスが『資本論』で論じている、資本主義に固有の「物神性(フェティシズム)」ということを論拠にして、この点は説明しなくてはならないのだが、詳しく論じるのは別の機会としよう。

いずれにせよ、インターネットを主要な収奪の場所とする現代の資本主義は、本来はコモンズであるべき「一般的知性」に私的所有権を設定するレント資本主義の形態をとることになる。そして、レント資本主義は、それを担う人々のイデオロギーや思想とは関係なく、権威主義的資本主義へと漸近していく。このように論じてきた。

こうした結論を受けて、ここで、リベラルな資本主義の信奉者たちが抱いている「不安」について論じておきたい。もちろん、信奉者たちの中心には、アメリカの富裕層がいる。リベラルな資本主義の支持者たちは、今、深刻な不安を抱いている。不安は二段構えになっている。

基底部にある不安は、資本主義そのものが持続可能なのか、ということへの懐疑である。今日、多くの人々が、資本主義が永続できる、ということに関して確信をもてずにいる。富裕層にしても同じである。資本主義は死につつあるのではないか、という不安が広く分け持たれているのだ。

このような不安が浸透し、蔓延しているということを示す証拠はたくさんある。あまりにもあからさまな証拠は、国連が掲げているＳＤＧｓ（持続可能な開発目標）である。なぜ、わざわざ「持続可能性」ということが目標とされなくてはならないのか。誰もが、普通にこのままシステムを運営していけば、持続できないこと、破局に至ることを知っているからだ。

ここでは、見ようによってはいささか滑稽な、（不安の存在の）傍証となる事実をひとつだけ指摘しておこう。近年、アメリカの超富豪たちが、巨万の富を投じて自らの手で宇宙船を開発し、自分自身を含むアマチュアの宇宙飛行士に、短い宇宙旅行を経験させている。

イーロン・マスクのスペースXやジェフ・ベゾスのニュー・シェパードなどが、そうした富豪の例である。大富豪が、とてつもなく高額の「チケット」を購入して、こうした宇宙船に同乗させてもらうケースもある（日本人にもいた）。これらについては、来るべき宇宙旅行の時代を予告する夢のある話として、牧歌的に報道されているだけだが、私は、まったく別のことを連想してしまう。

冷戦が厳しかった頃、つまり核戦争が十分に現実味のある恐怖であった頃、アメリカの富豪はしばしば、自分の豪邸の地下深くに、秘密の核シェルターを造った。核シェルターは広く、多くの設備や食料を備えており、何日も、何か月も、場合によっては何年も、そこで快適に暮らすことができた……らしい。が、よく考えてみれば、こんなシェルターは、まったく無意味である。核戦争で地上が焦土と化し、人類の――いや生物の――大半が絶滅してしまったとき、一家族だけがシェルターの中で生き延びたとして、その生に意味や幸福はあるのか。それは、もはや、ただ消極的に生物としての死を待つだけの人生ではないか。

私は、現在の、民間人が乗船できる宇宙船に、この核シェルターに似たものを感じる。地球に何らかの大惨事が訪れたとき、大富豪は、地球の外に脱出しようと思っているのだ。

核戦争からの逃避は、地球の内側に向かったが、気候変動からくる地球の全生態系の崩壊から逃れようとしたら、地球の外へ、宇宙空間へと向かわざるをえない。そして、地球の外のどこかで幸福に暮らそう、というわけだ（それはしかし、核シェルターの中の人生以上に殺伐としたものになるだろう）。彼らは、ここまで明確には意識していないかもしれないが、地球からの脱出願望を規定する基礎的な感情があるはずだ。その感情は、グローバルな破局への予感と結びついているのではあるまいか。

その上でもうひとつの不安

ここで言いたいことは、さらに先のことだ。まずは、資本主義が終わりに向かっているかもしれないという不安があるとして、その上に折り重なるもうひとつの不安がある。もし資本主義が何とか生き残るとしたら、その資本主義は、「私たちの」資本主義ではなく、権威主義的なタイプの資本主義ではないか。これが、現在のアメリカ人に広く共有されている――しばしば無意識の――直観ではなかろうか。もともと、アメリカ人は、中国が経済発展を試みれば、いずれは自滅すると考えていた。ところが、中国は、アメリカ以上に経済的に好調であると同時に、独自の政治システム（権威主義）を維持し、強化さえしている。中国の資本主義の方が、アメリカの資本主義より持続可能性が高いのではないか、という予感が兆してきたに違いない。

とどめは、新型コロナウイルスのパンデミックだ。アメリカとヨーロッパが、つまりリベラルな資本主義を標榜（ひょうぼう）している陣営が、パンデミックへの対応に失敗している中で、中国のコロナ対策の巧みさ、有効性は圧倒的であった。コロナ対策における中国の成功は、資本主義そのものにおける中国の成功の予告篇（へん）のようなものだったとしたらどうだろうか。アメリカやヨーロッパがコロナ禍で苦しんでいる2020年に、アメリカの中国への態度が転換したのは、このことに関連しているかもしれない。2020年の夏に、アメリカの対中政策は、関与政策（友好的）から封じ込め政策（敵対的）に、きっぱりと転換した。

中国共産党が香港や新疆（しんきょう）ウイグル自治区等でなしていること、中国共産党による著しい人権の侵害に、アメリカが正義の怒りをもっていることは確かであろう。そのことを偽りだと見る必要はない。が、中国共産党の人権や民主主義や自由への否定的・抑圧的な政策は、つい最近、始まったことではない。どうして、2020年に、突如として、封じ込め政策への転換が公言されたのか。大統領がトランプだったから、というのでは説明できない。政策の転換を宣言したのは、国務長官のポンペオであったし、大統領がバイデンに交替しても、中国への厳しい態度は継続されているからだ。アメリカの政策が転換したのは、コロナ対策における彼我のあからさまな違いが、アメリカ人の「第二の不安」を刺激し、顕在化させたからではないか。自分たちではなく、あちらの資本主義が勝者として残るのではないか、と。

整理すると、アメリカ人の間で——いや広くリベラルな資本主義の陣営の中で——分け持たれている二つの不安がある。その二つの不安は、本章でも何度も参照してきた、ブランコ・ミラノヴィッチの著書で提示されている二つの命題に対する反措定のかたちで示すことができるだろう。ミラノヴィッチの著書が主張しているテーゼは以下の通り。第一に、(本のタイトルになっているように)「資本主義だけが残る」。第二に、「残る資本主義は二つである(リベラルな能力主義/権威主義)」。それに対して、アメリカ(リベラルな資本主義陣営)で浸透しているのは、以下の二つの不安である。

①資本主義は残らないかもしれない。

②残るとしたら、その資本主義はひとつだけだ(権威主義的資本主義だけ)。

敵の方が優勢で、自分たちは負けるかもしれない、と思うと、恐ろしくなる。しかし、もっと恐ろしいことがある。あるとき気づいたら、自分こそがその敵であるとしたらどうだろうか。自分自身が、最も憎んでいた敵と同じになっていたとしたら、どうだろうか。たとえば、『鬼滅の刃』で、鬼殺隊は、鬼と闘っているわけだが、自分自身が鬼であったと発見したら、どんなに狼狽(ろうばい)し、絶望することだろう。

このように考えてくれれば、ほんとうの大きな問いがどこにあるのか、はっきりする。

ほんとうの問い

米中の間の緊張が高まる中で、われわれは何をなすべきか。確かに、日本人は、まずは、アメリカの側に立って、中国と対決するしかない。日米安保条約等を考慮に入れたリアリズムの観点からも、そうするほかないし、規範的な観点からも、それが正しい選択であろう。

しかし、もし資本主義の持続可能性そのものがすでにあやしいものになっており、持続できる可能性がある資本主義は権威主義的なタイプであるとしたら、日本人として、いやそもそも人類として、最終的になすべきことは、さらに先にあるはずだ。たとえば、仮に米中が軍事的に対立し、アメリカ側が勝ったとしても、その勝ったアメリカの資本主義が権威主義的なそれであるとしたら、アメリカの勝利は、われわれの最終目標ではありえない。もっと長期を視野に入れた、本質的な問いがある。

われわれは、自由と平等を獲得し、資本主義というシステムの中に入った……つもりでいた。資本主義は、人類が獲得した大規模な社会システムの中で最も広範な自由を、すべての個人に許容し、それがもたらす不平等は、能力主義的な見地から正当化可能なものだけである……そのように期待していた。だが、資本主義というものが、その発展の果てに、権威主義的なヴァージョンに収斂(しゅうれん)するのだとしたら、われわれの想定や期待は、完全に誤っていた、ということになる。「自由と平等」に対する抑圧という問題は、資本主義のもとでも解決してはいなかったのだ。権威主義的資本主義は、そのことを触知可能な現実として提示している。

そうだとすると、真に全面的な自由と平等はありうるのか、そのような社会は可能か、それこそが真の問いである。資本主義の行き着く先が、権威主義的資本主義であるとすれば、結局、求める社会は、資本主義そのものの超克を含意していることになる。アメリカに追随しているだけでは、そこには至りえない。

*1　ブランコ・ミラノヴィッチ『資本主義だけ残った――世界を制するシステムの未来』西川美樹訳、みすず書房、2021年、120頁。

*2　同書、48頁。

*3　同書、41-45頁。

*4　アメリカにおいて、世代間の社会移動が難しくなっていることは確かだが、上位層が、部外者（下位層から昇ってくる新参者）に対して、一定程度、開かれている、ということも重要である。このような開放性は、下位層にとってだけではなく、いや下位層にとって以上に、最上位層にとって有利だ。第一に、下位層の中でも最も有能なものを自分たちの仲間に取り込むことができる。第二に、下位層に生まれた者に対しても上に昇る道が開かれているということを公然と示すことで、自分たちが上位層にいるということが、能力主義的な観点から正当化される。

*5　ミラノヴィッチ、前掲書、66頁。

*6　ミラノヴィッチは、「報道の自由財団」の創設者（のひとり）トレヴァー・ティムが、『ガーディアン』紙に寄稿した文章をもとに、2016年にヒラリー・クリントンが示した、実にわざとらしい偽善的態度を紹介している。クリントンは、ゴールドマン・サックスが彼女の選挙運動に高額な献金をした見返りに何かを期待しているに違いないと国民が思っている、ということに関して、「え、そうなんですか！」とさも驚いたふりをしたのだ。ミラノヴィッチ、前掲書、68頁。Trevor Timm, "Money Influences Everybody. That Includes Hillary Clinton," *The Guardian*, April 14, 2016, https://www.

theguardian.com/commentisfree/2016/apr/14/money-hillary-clinton-banks-oil-links-presidential-campaign

*7　アメリカの「中流」とされる9600万人の層の平均の年収は、7万5千ドルである。これだって、日本のサラリーマンの平均年収の1・7倍にもなるので、地球全体でみれば、かなり裕福な方に入る。

*8　ショシャナ・ズボフ『監視資本主義』野中香方子訳、東洋経済新報社、2021年。

*9　厳密には、彼らのプラットフォームは、一部の経済学者が「両面市場」と呼ぶものになっている。つまり、プラットフォームは、共有地／私有地の両面として活用され、その落差から利潤が発生するようになっているのだ。詳しいメカニズムについては、大澤真幸『新世紀のコミュニズムへ――資本主義の内からの脱出』NHK出版新書、2021年、228－231頁。

3章

ベーシックインカムとその向こう側

——コロナ禍とBI、そしてコモンズ

初出　3章（1）『一冊の本』2020年6月号
（2）同　2022年2月号

(1) あれも、これも
すると私たちは第三のものを得る

リーマンショックの教訓

2008年のリーマンショックのときに、私たちはひとつのことを学んだ。資本主義は、生き延びるために、ときに自らの原理を——少なくとも部分的には——否定せざるをえなくなる、と。リーマンショックを乗り越えるためになされた政策の基本は、銀行や大企業への多額の公的資金の投入であった。ということは、このとき銀行や大企業は、事実上、国有であるかのように扱われた、ということになる。企業の国有化は、しかし、社会主義体制のやり方ではないか。20世紀の末期に、資本主義は、長年のライバルだった社会主義に勝利した。資本主義より優れた経済システムはありえないことが証明されたのだ。ところが、その資本主義は、持続するために、自分がこの地上から追い払った社会主義の手法を導入せざるをえなかった。これがリーマンショックの教訓である。

新型コロナ危機においても、2008年と同じようなことが反復されるだろう。つまり、資本主義がまさに生き延びようとすると、自らのアイデンティティを規定している基本的な原理を否定するような方法を用いざるをえなくなるだろう。しかも、リーマンショックのときよりもはるかに徹底したやり方で、である。2008年は、反資本主義的な方法が適用されたのは、金融機関や大企業に対してだけだった。その後も、貧者に対しては、むき出しの資本主義の原理（新自由主義）が適用されてきた。新型コロナ危機に対しては、このような差別的な対応は通用しない。

「ソフィーの選択」を迫られる

現在、地球上のすべての国は、新型コロナウイルスの感染の蔓延（まんえん）によって、トロッコ問題的なギリギリの選択状況に立たされている。いや、トロッコ問題の究極のヴァージョンと見なしうる「ソフィーの選択」を迫られている。トロッコ問題では、どちらの選択肢をとってもハッピーとは言えないがそれでも、一方が他方よりもよい、ということが明らかである（トロッコがそのまま直進すれば5人を殺すことになるが、引き込み線の方へと回避すれば、犠牲者は1人で済む）。だが、ウィリアム・スタイロンの小説――アラン・J・パクラ監督によって映画化された――『ソフィーの選択』では、主人公は、もっと困難な選択を強いられる。2人の幼い子を連れたソフィーは、アウシュヴィッツの駅で、ナチスの将校から告げられるのだ。「どちらかの子を選べ。その子は救われるが、選ばれなかった子はただちにガス室に送られるだろう。あなたがどちらも選ばなかったときには、2人の子はともにガス室送りになる」。苦しんだソフィーは、2人のうちの1人を、女の子ではなく男の子の方を選ばざるをえなかった。

私たちもいま、同じディレンマのうちにある。ウイルスの感染の拡大を抑えるために、「エッセンシャル・ワーカー」ではないすべての人は、家の中に留（とど）まり、活動を制限していなくてはならない。しかし、それは経済を麻痺（まひ）させ、大量の失業者を生み、そして夥（おびただ）しい数の企業を倒産させるだろう。これは、完全にソフィー的な選択である。両方を十分に満足させることができないことは、誰にでもわかる。あれか、これか。どちらかを選ばなくてはならない。こういうときの最悪の選択肢は中庸（ちゅうよう）だ。中途半端に家にいて、中途半端に仕事をすることは、最悪の事態を招く。感染の拡大を抑えられない上に、十分な経済活動ができないために不況が長引くことになる。

私たちの現状は、ソフィーの選択よりは少しはましだ、と思う人もいるかもしれない。ソフィーの場合、どちらを選んでも、子の命を犠牲にするわけだが、いま私たちが直面しているのは、命か、経済的利害かの選択なのだから。となれば、多少の痛みがあっても前者をとるのは当たり前ではないか。しかし、これほどの経済活動の縮小は――すでに多くの人が主張しているように――やはり命に関わることだと言わざるをえない。

外出制限が必要な期間は、「緊急事態」の間だけではない。緊急事態が終了しても、新型コロナウイルスの第二波、第三波の流行によって、あるいはそれらに備えて、私たちは外出や交流を抑制しなくてはならない。それだけではない。現在のこのパンデミックが最後ではないからだ。朝日新聞の記者の太田啓之さんが私とのメールのやり取りの中で書いていたことだが、最初の『ゴジラ』（1954年）で、ゴジラを撃退した後に山根博士（志村喬）がつぶやいた懸念は、今後、人類に取り憑いて離れないだろう。「第二、第三のゴジラ〔新型ウイルス〕が来るかもしれない」。この心配には合理的な根拠がある。現在のパンデミックは、何世紀かに一度の偶発的な不幸ではない。現代の私たちの生活様式、私たちの経済システム――つまりグローバルな資本主義ということだが――は、野生動物の領域と人間の領域を近接させており、ウイルスの侵入に対して非常に脆弱（ぜいじゃく）になっていると考えられる。

「あれか、これか」ではなく「あれも、これも」

私たちが今置かれている状況は、ほんものの「ソフィーの選択」である。感染抑止か、経済か。これは「あれか、これか」の選択で、しかもどちらを取っても容認しがたい生命の犠牲を伴う。どうしたらよいのか。小説の主人公ソフィーは後に、悲惨なかたちで自殺することになる。彼女は、結局、1人の子を犠牲にしてしまったことに由来するトラウマから立ち直ることができなかったのだ。確かに、彼女にはあれ以外の選択肢はなかった。誰もソフィーを責めることはできない。しかし、このことは彼女にとって慰めにならなかった。

ゆえに、ソフィーが直面したような究極の選択を前にしたとき、私たちは諦めてはならない。一方を取って、他方を犠牲にする、という選択で満足してはならない。何としてでも、「あれも、これも」に執着しなくてはならない。では目下の状況においては、何をなすべきなのか。

これに対する、さしあたっての回答は、少なくとも理屈の上では、それほど難しくはない。そして、実際、その方向への歩みはすでに始まっている。どんな政治家でも、右派であろうが左派であろうが、そうするほかない、というような方法がひとつだけある。仕事を失った人、仕事を休まざるをえなかった人に、生きる上で必要な額にあたる金銭的な支援をすること、これである。一方では、言うまでもなく、諸個人の自己隔離を含む感染症対策は、不可欠である。他方で、経済に関しては、とりあえずは通常のビジネスや労働ができなくてもよいが、少なくとも全員に、安全かつ安心で、そして人間らしい生活を送るに十分なだけの経済的な保障を与えなくてはならない。そうすれば、「あれも、これも」ということになる。たとえば日本政府は、国民1人ずつに一律10万円を支給することに決めた。これは、いま述べている「正解」への一歩ではある。

「一律10万円」は、これまでの日本政府の常識からすれば、かなりの大盤振る舞いであろう。とはいえ、目下の危機の大きさとの関係では、この金額はまったく足りない。一か月で感染症の危機がすべて除去されるのであれば、かろうじて許される額かもしれないが、現在の新型コロナウイルスに対するワクチンや治療薬が開発され、普及するまでの時間は、それより何十倍も長い。まして、「第二、第三のゴジラ」のことまでも考慮に入れれば、10万円ではあまりにも少ない。

BIのように

何十万、何百万もの人々が貧困化するのを座視することができないとすれば、日本政府はすぐに、追加的な支給を実施しなくてはならない。夥しい数の自殺者を出すような経済の破局を避けるためには、後先のことを考えずに、政府は継続的に、失職者や休業者が必要とする金額を、支給していくほかない。日本政府だけではない。どこの国の政府もそうせざるをえないだろう。リーマンショックのときには、多くの批判があっても、政府は、大企業や銀行を公的資金によって救済するしかなかった。今度は、政府は、公的資金で、中小企業や貧しい労働者・失業者を救済しないわけにはいかない。このやり方が長期化し、ほとんど恒常化したときにはどうなるのか。それは、一般に「ベーシックインカム（BI）」と呼ばれている政策に近づいていくだろう。

だが、そんなことは可能なのか。財源はどうするのか。政府は国債を発行することを通じて、必要な資金を用意するしかない。では、国債というものは無限に発行できるものなのか。もちろん、そんなことはない……、と一般には考えられている。均衡財政（政府の支出が税収を超えない）でやっていけている国はほとんどない。どこの国の政府も借金をかかえている。だからほとんどの経済学者は、政府の財政が赤字であっても、経済が破綻することはない、と考えている。しかし、いくら借金があっても問題がない、と考えている経済学者はほとんどいない。借金には限度額のようなもの、閾値のようなものがあると考えられているのだ。ただ、その閾値がどのくらいなのか、たとえばGDPに対してどのくらいの割合なのか知っている者は誰もいない。政府財政の赤字の許容限度を導き出す理論があるわけでもない。

ともかく、一般には、財政赤字の蓄積があるレベルを超えると、何かよからぬことが起きると考えられている。よからぬこととは何か。少なくとも国民としては、増税を覚悟しなくてはならない。だが、ＢＩに近いかたちで生活費が支給されたとしても、後で増税によって吸い上げられてしまうならば、結局、援助されなかったのと同じではないか。さらに、もっと恐ろしいことは、インフレである。政府が借金を増やしつつ、財政支出を増大させていったときに起こりうる最も恐ろしいことは、ハイパーインフレーションだ。インフレとは貨幣の価値が下がることだ。円がハイパーインフレになれば、私たちの円建ての資産は急に小さくなる。それは、パンデミックに勝るとも劣らない破局である。

MMTが成り立つための根拠

ところが、ここに福音のような経済理論があって、心配いらない、と囁(ささや)きかけてくる。「現代貨幣理論（MMT）」という——とても普通っぽい名前の——異端の学説だ。MMTはこう説く。政府の財政には予算制約がない、と。つまり政府はいくら借金をしても大丈夫、というわけだ。主流派からはMMTは「トンデモ話」のように批判されているが、主流派だって政府の予算制約に関して説得的な理論をもっているわけではない。ならば、この際MMTを信じて、国債をどんどん発行して、最終的には高レベルのBIを確立したらどうだろうか。そうすれば、私たちは安心して、仕事を休み、「ステイホーム」することもできるのではないか。ソフィーの選択が、突然、ごく簡単な合理的な選択に転換する。

けれども、異端のMMTを信じることは難しい。だから、政府は気軽には、国債を発行できない。日本政府としては、10万円の給付だけでも、清水の舞台から飛び降りるような気分だろう。だが、これもいささかこっけいなことでもある。MMTの主唱者たちが、自分たちの理論の正しさを示している実例としてしばしば挙げるのが、日本である。日本政府にあれほど大きな借金があるのに、日本経済は破綻していないではないか、と。ところが、当の日本政府の方は、MMTを信じてはおらず、財政支出に尻込みしている、というわけだ。

いずれにせよ、MMTは、私たちが信じたいことを信じさせてくれる、とても都合のよい理論だ。これに賭けてみたらどうか。しかし、残念なことに、私の考えでは、この理論にはひとつだけ欠点がある。その前提が誤っているのだ。もう少し慎重に言えば、公理のようになっている前提の部分に関して、考えがあまりにも浅い。

MMTには、正しい洞察もある。それは、貨幣の本性は「負債」だという認識である。貨幣とは、流通する「債務証書」である。誰かの債務を記した書類が支払いに使えれば、それは貨幣である。貨幣に含意されている債務は、誰が負っているのか。それは、通貨を発行している者、つまりは政府である。国債が、政府の債務証書であることは明らかだが、それ以前に、貨幣が政府の債務証書である。これはまったく正しい。では、私たちは、その債務証書としての貨幣を政府に突き付けて、借金を返せ、と言えば、政府は何か返してくれるだろうか。何も返してはくれない。そもそも、政府は何を返せばよいのか。というわけで、貨幣は、政府にとって、返す必要のない負債だということになる。政府がいくら借金をしても大丈夫である、とする理論上の根拠はここにある。

こうしたからくりが成り立つためには、しかし、債務証書である貨幣が流通しなくてはならない。たとえば、私が債務証書を発行しても、それを、私のことをまったく知らない人たちの間にも流通させることはできないだろう。どうして、政府の債務証書は流通するのか。詳しい説明は省くが、流通の動因になっているのは租税である。人々は、政府に税を納めなくてはならない、と思っている。このことが政府が発行した債務証書（貨幣）が流通する最終的な原因になっている。MMTによれば、租税の機能は、貨幣を流通させることにある。

MMTが見落としているもの

貨幣は、政府にとっては返済の義務がない債務証書である。だから、政府は、必要なときにいくらでも貨幣を発行すればよいのだ、とMMTは説く。しかし、貨幣が支払い手段として使われるとき、つまり人が貨幣による支払いを受け入れるとき、そこで働いている心理的なメカニズムは、実に精妙なもので、それはMMTの視野には入っていない。一方で、人は、現代の貨幣は兌換紙幣ではないし、これを政府に持っていっても、何も返済してもらえないことを知っている。しかし、他方で、支払い手段として貨幣を受け取るとき、私たちは、あたかも貨幣に価値があるかのように、その貨幣を扱っている。ということは、貨幣のうちに含意されている債務がいずれ返済されるかのように、私たちはふるまっているのだ。ここには、アンチノミー（二律背反）がある。債務は返済されないことを知っているのに、それがいつの日か返済されるかのように扱っているのだから。ここにこそ、貨幣なるものの秘密がある。

このメカニズムは、裸の王様の寓話に喩えることができる。誰もが王様が裸であることを知っている。しかし、それでも、人々が王様が豪華な服を着ているという想定で行動していれば、そちらが現実となるのだ。ＭＭＴは、「王様は裸だ」と叫ぶ子どもの役を演じている。皆が知っていること――しかしあえて黙っていること――を頼まれもしないのに教える役である。理論的に説明されなくてはならないことは、ほんとうはその先にある。どうして、皆が知っていることとは正反対のことが社会的現実になるのか。貨幣は無意味な記号なのに、まるで兌換紙幣のように価値あるものとして流通するのはどうしてなのか。こうした問いには、ＭＭＴは答えない。

いま政府の債務に関して述べたアンチノミーは、実のところ、資本主義というものを一般的に特徴づける条件である。資本主義のもとで多額の資金をもつ者は、同時に、大きな債務をもつ者でもある。その負債は、返済されるという保証があるからこそ、貨幣として流通させることもできる。が、同時に、人は、すべての負債が完全に清算されることは絶対にないことも知っている。すべてが清算されるときは、資本主義が終わるときだからである。決して返済されないのに、あたかも確実に返済されるかのように扱われる負債。これが資本主義を成り立たせているのだが、この逆説が、通貨の発行主体である政府との関係においてはあからさまになる。他の経済主体は、それでも、その度に返済しているが、政府は、ほんとうに返済しないからだ。

資本主義という枠組みを捨てるとき

もしMMTが正しければ、私たちは、ソフィーの選択の苦境を回避することができる。国債をどんどん発行して、事実上のBIを確立すればよい。しかしMMTが自明の前提としていることは、必ずしも常に成り立つことではない。MMTの主張が成り立つのは、資本主義の順調な作動を前提にできるときだけである。

だが、新型コロナウイルスへの対策がもたらしていること、大規模な外出制限がもたらしていることは、資本主義的な経済活動の麻痺だ。非常に多くの人は収入を激減させ、賃料を支払うことができなくなる。そのため家主は、銀行への返済ができなくなる。云々。私たちは、負債が全面的に清算され、消えてしまうことはないのに、実際には、常にそのたびにとりあえずは負債が返されることで、あたかも「負債は必ず返済される」かのようにふるまうというゲームをやってきた。しかし、今やそのゲームは不可能になったのだ。王様が立派な服を着ていると見なそう、という「お約束」があったのに、王様がほんとうは裸であるという事実をどうしても否認できなくなった、というわけだ。MMTを信じて援助を続けても、いずれは挫折するだろう。

だから、所得を減らした人や、休業せざるをえなかったり、失業したりした人たちへの補償や援助はやめた方がよい、と言いたいわけではない。まったく逆である。この方法はいずれ失敗し、資本主義というシステムの根幹を否定してしまうからこそ、実行すべきである。もともと、私たちの現況が、ソフィーの選択を連想させるようなディレンマになるのは、資本主義を前提にしているからだ。私たちが経済的に必要としていることの大半は、資本主義のルールからくるものである。「あれか、これか」と迫られながら、どちらを取っても犠牲が大きすぎるとき、それを突破する唯一の方法は、選択肢そのものを変更してしまうことだ。ほんとうは不可能な「あれも、これも」にあえて執着すると、事前にはなかった選択肢が自然と生み出されるだろう。

それはどんなものなのか。もともとBIは無償の贈与であって、私的所有を前提にした資本主義にとっては異物である。資本主義という枠組みを捨てたとき、BIの実践に含意されていたその本性が露わになる。このとき出現するのは、人類が長い間、夢見てきたユートピアではないか。人がそれぞれその能力に応じて貢献し、その必要に応じて取る。現在の困難に勇気をもって対決し、あえて不可能であるはずのことを選択すれば、このユートピアへの長い道のりの最初の確実な一歩を踏み出すことができる。BIそのものが、ユートピアなのではない。BIは、しかし、ユートピアへの小さな一歩ではある。

(2) ベーシックインカム
それは可能だ。しかし可能性こそがその限界だ。

日本社会はベーシックインカムを必要とするか

コロナ禍の緊急事態の中にあって、多くの国で、「ベーシックインカムもどき」の給付金が出された。とりわけ、日本政府がとった対策は、ベーシックインカムに近かった。2020年に、日本政府は、全国民に一律に10万円を給付した。この対策は、各国政府がとった政策の中でも最もベーシックインカムに近かった。10万円が、継続的かつ定期的に繰り返し給付されていれば、それはベーシックインカム以外のなにものでもない。

ベーシックインカム(以下BI)とは、すべての個人に、いかなる条件もつけずに定期的に給付される現金である。家族等ではなく個人単位で給付されることがポイントである。資力とか、労働要件（労働可能だと見なされた者に対する労働の義務）とかの条件によって制限されることもない。それゆえ給付に際して、それらのことを調査する必要もない。給付される範囲は、完全に普遍的なものに——無制限にすべての個人になる（この点が強調されるときには、「ユニヴァーサル・ベーシックインカム」と呼ばれるが、本書では、両者を特に区別せずに論ずる）。今のところ、コロナ対策として各国の政府がやってきたことは、BIにはなっていない。しかし、潜在的にBIを目指している、ということはできる。

BIは、究極の貧困対策である。貧困に苦しんでいる人、つまりお金がない人に、お金を直接給付するということなのだから、これ以上に確実な貧困対策はない。現代の日本社会にとって、BIは、どの程度、意味ある政策となりうるだろうか。

現代日本は、先進国の中で、深刻な貧困問題を抱えている方だといってよい。経済的な格差（不平等）の程度を測る指標はたくさんあるが、相対的貧困率で見ても、ジニ係数で見ても、日本の値はかなり悪い。たとえば、相対的貧困率は、所得が高い人から低い人まで順番に並べたときのちょうど真ん中の人の所得（中位所得）の半分以下の所得しかない人の比率を指しているが、2021年の日本のこの値は、G7の構成国の中でアメリカの次に悪い。

これまで、日本政府は、どのような貧困対策をとってきたのか。貧困対策の代表的なものは、生活保護である。生活保護の給付額、つまり1人当たりの公的扶助給付額は、低くはない。原田泰は、「主要先進国のなかで際立って高い」と言っている。[*1] 具体的には、1人当たりのGDPで見たとき日本とほぼ同水準のイギリス、フランス、ドイツの公的扶助額は、日本より2〜3割低い。アメリカ人の所得は日本人より高いが、4地域（ニューヨーク、フロリダ、ペンシルベニア、テキサス）の単純平均を見ると、やはり日本より公的扶助額は2割ほど低い。というわけで、日本の生活保護の給付水準は、決して低くはない。

であるならば、日本社会の貧困問題はかなり深刻ではあるが、相応の対策もとられてきた……と言いたくなるところだが、実は、そうではない。橘木俊詔が、2006年の著書で書いているところによると、生活保護水準以下の所得で暮らしている人は、人口の13%である。[*2] しかし、実際に、生活保護を受けている人は、同年で、人口の1・2%にしかならない。つまり、生活保護は、それを本来必要としている人の10%くらいしか受け取ってはおらず、効果的な貧困対策にはなっていないのだ。

こうした現状を考えると、BIは、日本社会には必要だし、また効果的であると予想することができる。

BIは財政的には可能である

ＢＩに差し向けられている最大の懐疑は、それに、財政的な実現可能性があるのか、ということであろう。要するに、ＢＩを実行するほどの財源はあるのか、と。

これについて、私は、ここで詳しく論ずるつもりはない。すでに専門家たちの試算があるので、そのごく一部をおおまかに紹介するにとどめておこう。ＢＩの唱導者たちは、当然、それは可能だという。もちろん、ＢＩとしていくらを給付するかによって困難さは変化するが、十分にリーズナブルな金額で、しかも、実現可能な程度の工夫によって財源が確保できる、というのが、ＢＩを支持してきた専門家たちの見解である。

ＢＩを導入すれば、当然、社会保険の中でＢＩに代替できるものがある。つまり、これまでの国庫の歳出の中から、ＢＩに転換できるものがある。もっとも、ここで、あまりに従来の社会保険を削りすぎると、ＢＩを導入することの意味がなくなるので注意しなくてはならない。いずれにせよ、既存の国庫からの組み替えだけでは足りないので、新税や増税などによって、さらなる財源を獲得する、というのがBI支持者たちの共通の提案だ。そうすると、BIは、数字上は、十分に可能だということが示される。

たとえば原田泰は、『ベーシック・インカム』で、日本社会においてBIの財源は十分に確保できるとして、次のように述べている。[*3] まず、BIの給付水準を、「20歳以上に月額7万円、20歳未満に月額3万円」としてみる。[*4] すると、100兆円弱が必要になる。原田が精査してみると、社会保障費などの組み替え可能な支出はおよそ36兆円ある。まだ、かなり不足しているのだが、所得に一律30％を課税すると約77兆円を得ることができるので、財源は十分だということになる。この追加的な所得税については、もちろん、累進的なものにしてもかまうまい。井上智洋も、同じような計算を通じて、「相続税の30％引き上げ＋所得税率の一律15％の引き上げ」等の方法によって、財源は確保しうる、としている。[*5]

もっとも、私としては、月額7万円の給付額は少なすぎるように思う。東京で、月7万円で暮らすことができるだろうか。家賃のこと等を思うと、かなり難しい。BIの給付額は、単身世帯への生活保護の金額を基準にして考えるべきではないだろうか。生活保護の給付額は、地域によって異なるが、単身世帯の場合は、だいたい月額12万円ほどだ。そこで、BIの給付額を、1人当たり12万円とすると、財政学者の井手英策によれば、173

兆円が必要となる。原田や井上が提案しているBI予算総額より、当然ながら、ずっと大きくなる。もしこれを消費増税によって賄(まかな)うとすると、消費税を72%にする必要があるという。[*6]

消費税を、8%から10%に上げるだけでも大騒ぎだったことを思うと、この数字はかなり非現実的だと思われるかもしれない。先ほど述べたように、日本の生活保護の支給額は先進国の中でかなり高い方なので、原田等は、BIを7万円と控え目にしたのであろう。また、1人暮らしの7万円は厳しいが、たとえば夫婦で子ども2人の家族ならば、原田の構想では20万円が支給されるので、東京で暮らせないこともない。

日本の生活保護の捕捉率は著しく低い。このことを考えると、BIの支給額でもめている場合ではない。多少、金額が低くても、BIを導入した方が、しないよりはずっとよい、ということになるだろう。

結論的に言えば、日本でBIを導入するとして、財源は、少なくとも理論上は確保できる、ということになる。

利己的にして贖罪的な消費の先に……

ここでは、財源とは別の意味での実現可能性について考えておきたい。日本に限らず、現在の「先進国」、つまり経済的に豊かな国において、BIは、民主的な支持を得ることができるだろうか。豊かな民主主義国家において、BIの政策が支持されるだろうか。今すぐとはいかずとも、それほど遠くない将来において、BIが、民主的な支持を得て、実現される可能性があると見てよいのか。すべての人が、BIの直接的な恩恵を受けるわけではない。BIは、裕福な者から貧しい者へのシンプルな再分配である。こうした政策が、広範で民主的な支持を獲得し、ひとつの制度として実現する日が、遠からずやってくる、と予想してよいだろうか。

BIへの反対者はもちろんのこと、その支持者でさえも、BIに賛成する者が国民の多数派を占め、それが実施されるまでの道は非常に険しいと考えている。確かにその通りではあろう。しかし、絶対に不可能だ、というほどではあるまい。

いや、それどころか、私は、BIは、早晩十分な民主的な支持を獲得できるところまで来ている、と考えている。日本がいち早くそうなる……ということはないかもしれないが、豊かな先進国では、機は熟しつつある。いずれかの民主国家でBIが成功すれば、同じ程度の経済水準にある他国は——日本を含む他国は——、これに追随するだろう。

どうしてそのような見通しをもつのか。その根拠を述べておこう。ある時期以降——厳密には（世界的にみれば）1968年以降——、資本主義ははっきりと変質した。かつては対立していた、利己的な消費と利他的な（慈善的な）動機とが、セットになり始めたのだ。BIは、その延長上に登場するはずだ、と予想することができるのだ。

かつての、本来の資本主義においては、当然のことながら、人は、自らの効用、自らの幸福のため（にのみ）活動していた。消費は、純粋に利己的なものであった。利他的な慈善のような活動は、資本主義の外部にあるもので、特別に奇特な個人によって担われていた。

しかし、今日では、慈善や利他的貢献もまた、資本主義的に消費されている。それらは、資本主義の外部にある活動ではない。こうした傾向の表れは、日本ではかなり遅れ気味ではあるが、しかし、世界レベルでは——とりわけアメリカでは——、1968年以降、こうした傾向がどんどん強まってきている。つまり、消費者は、慈善的な理由、利他的な理由、あるいは自然環境に関連する理由によって、商品の価格が高くなることを、積極的に受け入れるようになっている。たとえば、コーヒーやチョコレートの値段が、輸入元の生産者との間の「フェアトレード」のために高くなっていても、消費者は嫌がらずに、そのコーヒーやチョコレートを買うだろう。あるいは、貧困地域への寄付が価格に上乗せされているとしても、人は、それを受け入れる。あるいは、「地球に優しい」という理由で、相対的に高い商品を、消費者は今や、まったく拒否することはない。

いや、拒否しない、どころではない。慈善や環境が理由になって少しだけ高価になっている商品を、人は喜んで買う。どうしてか。その高い価格によって、消費者は、消費の利己主義が作り出す「罪」を贖(あがな)っているのだ。要するに、「贖罪(しょくざい)」自体が、今や消費されているのである。古典的な資本主義とは異なり、20世紀末期以降の文化資本主義の中では、消費は、背反する二つの効用を同時に満たしていることになる。一方で、利己的な消費は、なんらかの罪を作っている。貧しい人を搾取したり、地球を汚したり、と。人は、このことにすこし疚(やま)しさを感じている。しかし、だいじょうぶだ。他方で、人は、消費を通じて、その罪を贖うことができるからだ。罪を作りながら、それを贖うこと、これが現在の消費である。少しダイエット食品に似ている。いくら食べても栄養は付きません、ただ排出されるだけです、と。

こうした態度、こうした傾向を強化し、延長させていけばどうなるのか。そうすれば、やがて、そこから、BIも現れるだろう。利他的に、あるいは慈善的にふるまうことは、今日の資本主義と矛盾してはいない。むしろ、資本主義的にそれは促進されている。その利他性の部分を拡大していくと、やがて人々は、BIのための出費をも受け入れることになるだろう。豊かな先進国で、BIが民主的に支持される日もそう遠くはない、と推測するのは、BIへと結実しうる今述べたような傾向が、世界的には、主流になりつつあるからだ。

*

BIと資本主義との間のつながりについては、BIの最も積極的な支持者の1人と見なしうる哲学者フィリップ・ヴァン・パリースが、明示的に論じている。[*7] パリースの考えでは、BIは、個人の本来的な権利である。そして、彼は次のような趣旨のことを述べている。すなわち、資本主義社会は、その全メンバーに、実質的で無条件のBIを提供することができるのであり、そのことによって、平等と自由を両立させることができる、と。

BIが、格差を是正し、社会を平等の状態に近づけるのは当然だとして、「自由」とはどういうことなのか。BIがあれば、働かない自由も確保できる、という趣旨である。特に賃労働者として働かない自由が得られることの意義は大きい。賃労働者は、奴隷ではない。が、よく考えてみると、賃労働者は、資本家によってレンタルされた奴隷のようなものである。彼または彼女は、人生の多くの時間を、資本家の奴隷のように働かなくてはならない。しかし、ＢＩさえあれば、働かない自由も与えられる、というのがパリースの考えである。

パリースは、ジョン・ロールズやロナルド・ドゥオーキンを援用しながら、ＢＩを哲学的に正当化する。したがって、パリースに従えば、ＢＩによって、二つのものを同時に得ることができる。ロールズ的な公正性と資本主義的な活動性の二つを、である。資本主義による生産の拡大は、分配的正義のために必要な財の蓄積を可能にする。

まさにそれゆえにBIには限界がある

というわけで、ＢＩは、いいことずくめだ。しかも、それは、財政の観点からも、また民主的な支持という点に関しても、十分に実現可能だ。実にけっこう。

が、立ち止まってよく考えてみよう。ＢＩが可能に見えるのは、それが資本主義の枠内での柔軟な対応として成立しうるからだ。ＢＩは、二つのことを必要とする。ひとつは、資本主義的な生産関係である。もうひとつは、十分に強力な国家装置が存在していなくてはならない。人々から確実に税を徴収し、それを再分配するのは、国家だからだ。

社会システムが資本主義であるということは、――マルクス経済学の用語で言えば――剰余価値が発生するようになっているということだ。「利潤」と言ってもよい。剰余価値（利潤）が発生している以上は、システムのどこかで、労働の搾取がなされているということになる。これは、マルクスが述べていたことだが、日本の偉大な二人のマルクス経済学者が、この命題の厳密な証明にかかわっている。まず、森嶋通夫(みちお)が、このマルクスの主張を「マルクスの基本定理」と名付け定式化した。これを受けて、置塩(おきしお)信雄が、定理を厳密に数学的に証明した。要するに、プラスの利潤が発生するための必要かつ十分な条件が、労働者の剰余労働の搾取である。[*8]

ＢＩを導入するということは、資本家に搾取された分の一部を、労働者や貧困者に返却することに等しい。つまり、通常とは逆方向の搾取を許容するのが、ＢＩである。だが、これには限界がある。逆方向の搾取が可能であるためには、まずは通常の搾取がなくてはならない。取り返すためには、まず取られなくてはならない。要するに、資本主義が成立しなくてはならないので――剰余価値が発生し続けなくてはならないので――、いかに逆方向の搾取を許そうと、最終的には、労働者の方が搾取されていなくてはならない。

そうだとすると、結局、次のように言わざるをえない。BIは、格差や貧困の問題への対応策だ。しかし、格差・貧困の究極の原因が、資本主義的な生産関係の中での労働の搾取にあるとしたらどうか。BIは、真の病因は取り除かない対症療法だということになるのではあるまいか。

パリースが重視した「自由」についても同じことが言える。手厚いBIは、一部の人を、賃労働から解放する。しかし、全員を賃労働から解放するわけにはいかない。一部の人が、賃労働をせずにすむ自由を得るためには、大半の人が賃労働に従事していなくてはならない。

こんなふうにも言いたくなる。もし、近い将来、ほんとうにBIが実現したとしたら、ということではあるが、そのとき、資本主義社会で起きることは、いわゆる「改革開放」以降――とりわけ1989年以降――、中国という独特の社会主義体制で起きたことを、ちょうどひっくり返したかたちになっている。どういうことか。「社会主義市場経済」などと自称している中国のシステムで進行していることは、一言で要約するならば、「いくらでも資本主義に妥協する用意はある。ただし、社会主義体制にとって命となる一事を除いてだが」ということになる。社会主義体制にとって命となる一事とは、共産党による一党独裁である。もし、十分に大規模なＢＩが実現したとしたら、このとき、資本主義陣営は、こう言っていることになろう。「いくらでも社会主義的なやり方に妥協する用意はある。ただし、資本主義にとって命となる一事を除いてだが」。資本主義の命とは、資本主義的な生産関係のことである。

親切な奴隷主のように

ここまで述べたことをまとめると、次のようになる。ＢＩは確かに実現可能である。しかし、それが実現可能なのは、資本主義の枠内に止まるからだ。そうだとすると、ＢＩは、結局、それがまさに解決しようとしている問題の真の原因を除去しない限りでのみ機能する政策だということになるだろう。

人間の心理の問題として見たらどうであろうか。資本主義は、心理の問題として見たときには、ルサンチマンと嫉妬の世界である。ＢＩに示されるような寛大さや利他主義は、ルサンチマンと嫉妬を乗り越えるだろうか。否、である。その寛大さや利他主義は、ルサンチマンや嫉妬の反面でしかないからだ。

19世紀末に、オスカー・ワイルドが述べていたことが、今日のBIに関してそのままあてはまる。オスカー・ワイルド。そう、『ドリアン・グレイの肖像』や『幸福な王子』で知られる、耽美(たんび)主義の作家、ワイルドである。彼には、『社会主義下の人間の魂』(1891年)という優れた評論がある。

その中で、彼は、次のような趣旨のことを述べている。他人の苦難に同情することは、わりと簡単なことである(先ほど述べた、贖罪的な意味をもつ消費をしているとき、われわれは、恵まれていない人たちに同情している)。それに比べて難しいのは、思想に共感することである。人は、周囲に貧困や飢餓があれば、とても立派な意図をもって、それらの悪を矯正する仕事に、真剣に、そして感傷的にとりかかるだろう。しかし——ワイルドによると——、その治療は病気を治さず、むしろ長引かせる。実は、治療そのものが、病気の一部なのだ。そして、ワイルドは言う。最悪の奴隷主は親切な奴隷主である、と。

BIは、親切な奴隷主のようなものである。親切な奴隷主は、奴隷の窮状に深く同情する立派な人物である。が、いくら奴隷たちに親切に接したとしても、問題は決して解決しない。それどころか、奴隷主として親切であるならば、問題は永続することだろう。なぜなら、問題の根元は、奴隷制度そのものにあるからだ。

同じことはBIにも言える。奴隷制度の中での親切な主人が問題を解決できないように、資本主義の中でのBIは、問題を真には解決しない。

レントとしてのBI

それでは、BIはやらない方がよいのか。そうではない。もしBIの実現が、最終的なゴールであるならば、それは、述べてきたように、問題を解決せず、むしろ長引かせるだけだ。しかし、BIは、ゴールではなく通過点だとしたらどうか。BIのうちにあるポテンシャルを徹底して引き出すと、実は、BIそのものを超えて、さらに先にいくことができる。

どういうことなのか、この点を説明しなくてはならないが、その前に、少しだけ回り道をする必要がある。理論的に見れば、BIは、市民権に付随している一種のレント（地代）のようなものだ、ということを確認しなくてはならない。レントとは、さらなる生産をもたらす必要がない所得のことである。とするならば、BIもまた、レントの一種である。

このレントは、市民権に付着している。このことの論理的な帰結は、BIは――ユニヴァーサル・ベーシックインカムは――、決して、ユニヴァーサルではない、ということだ。BIを受け取ることができる「市民」「国民」の範囲は、明確に限定されなくてはならない。将来、日本でBIが実施されるようになったとしても、日本にやってくる移民や外国人のすべてにBIが与えられるわけではないだろう。予想されることは、寛大にも一部の外国人にもBIが給付されるとしても、それは、十分に稼ぐことができる――したがってBIなど必要のない――外国人に限定されることになるだろう。BIは、他者の締め出し、他者の排除を前提にした権利である。

*

ここで、2章第4節で述べたことをあらためて確認しておこう。レントこそ、今日の資本主義の最も重要な搾取の手段であり、それこそが格差の最大の原因である。

GAFAMがあれほど儲かるのはどうしてなのか。それは、本来は誰のものでもない「一般的知性」（マルクス）が私的に所有され、そのことを根拠にしたレント（使用料）が彼らに支払われているからである。この場合、一般的知性とは、インターネットやICT技術に関連した知識のことである。

マルクスは、知識というものは、そもそも私的に所有することができないので、利潤を得るための主要な手段が知識になったときには、資本主義そのものが終焉を迎えることになるだろう、と予想していた。しかし、このマルクスの予想はまったく外れた。知識に私的所有権を設定し、そこからレントを得ることで、資本主義的な搾取はますます成功するのだ。

ここで述べておきたいことは、次のことである。BIは、格差への対処策だが、そこで用いられている方法――つまりレント――は、まさに今日の格差をもたらしたメカニズムと基本的に同じものである。

コモンズへ

だから、BIのレントとしての側面を克服しなくてはならない。どのような方向に向けてか。そのためには、そもそも、われわれがBIに正当性があると直観するのはなぜなのか、その根拠にまで遡って考える必要がある。

われわれは確かに、この世界にさまざまな価値あるもの、富をもたらしてきた。だが、その価値あるものの創造は、誰の貢献に帰することができるのか。厳密に考えていけば、価値あるもの、富は、人類の集合的な営みの産物であって、どこからどこまでが誰の貢献による、ということを決定することはできなくなる。そのことは、「知識」の場合にはとりわけ顕著だが、原理的には、すべての富にあてはまる。結局、いかなる富も、皆のものだというほかないのだ。富は、基本的にコモンズ（共有物）である。ここから、富（の一部）に関して、誰もが無条件に自分で取ることができるというアイデアが導かれる。BIは正当である、という感覚の根拠は、ここにある。

このアイデア、つまり富は基本的には——誰のものとも限定できない——普遍的なコモンズであるというアイデアから自然に引き出されるのは、コミュニズムである。コミュニズムとは、誰もが能力に応じて貢献し、必要に応じて取ることができる、ということだ。BIが、市民権に帰属するレントとして設定されている限り、それは、コミュニズムとは別物である。しかし、BIには正義があるという直観の根拠に依拠するならば、われわれは、コミュニズムを支持しなくてはならない。そうだとすれば、BIは、ゴールではなく、コミュニズムへの長い道のりの通過点である。

親切な奴隷主であることに満足してはならない。奴隷制度そのものを克服するところまで行かなくては……。

＊1　原田泰『ベーシック・インカム――国家は貧困問題を解決できるか』中公新書、2015年、24‐25頁。
＊2　橘木俊詔『格差社会――何が問題なのか』岩波新書、2006年、18頁。
＊3　原田、前掲書、第3章。
＊4　20歳以上と未満とで、給付額を変えているので、これは厳密な意味でのユニヴァーサル・ベーシックインカムではない。
＊5　井上智洋『AI時代の新・ベーシックインカム論』光文社新書、2018年。
＊6　井手英策「財政とベーシックインカム」佐々木隆治・志賀信夫編著『ベーシックインカムを問いなおす――その現実と可能性』法律文化社、2019年。
＊7　フィリップ・ヴァン・パリース『ベーシック・インカムの哲学――すべての人にリアルな自由を』後藤玲子・齊藤拓訳、勁草書房、2009年。
＊8　置塩信雄『マルクス経済学――価値と価格の理論』筑摩書房、1977年。

4章 アメリカの変質

――バイデンの勝利とBLMが意味すること

初出

4章（1）『一冊の本』2020年12月号
（2）同　同　8月号

(1) 今回の勝利が真の敗北の原因になるとしたら……

「民主党政権」の教訓

正直、私は安堵した。ジョー・バイデンが2020年の選挙に勝って、次期のアメリカ大統領になることが決まったことに、である。アメリカ人はよい方を選択したと思う。

と同時に、私は不安にもなってきた。とてもいやな予感がする。4年後の大統領選挙で、トランプ(みたいな人)が勝ちそうな気がする。トランプが2024年の大統領選に再び立候補し、共和党の候補者に選ばれ、選挙に勝利するのではないか。そんな予感がするのだ。しかも——ここが肝心なところだ——、4年後のトランプの最大の勝因が、まさに2

020年の選挙でバイデンが勝ったことにあるとしたらどうか。バイデンが勝ったことが原因となって、4年後には、トランプが有無を言わせぬ仕方で決定的に勝利する……。（ヘーゲルの言う）「理性の狡智（こうち）」の格好の実例ともなるような仕方で因果関係が作用しそうである。

私は十分な根拠があって、こうした逆説を予想している。私たち日本人は、こうした逆説を支持する教訓を得ているはずだ。それを、「民主党政権」の教訓、と呼ぼう。ここでいう「民主党」は、アメリカの民主党ではない。日本の「民主党」である（かぎ括弧でアメリカの民主党と区別しよう）。

2009年9月に、「民主党」は、日本国民からの圧倒的・熱狂的な支持を得て、自民党から政権を奪った。「民主党」はそれから3年余りの期間、政権の座にあったが、2012年末の衆議院議員総選挙で自民党に完敗し、再び野に下った。そのあと、首相になったのが、自民党のリーダーだった安倍晋三であった。こうして成立した、（二度目の）安倍政権は7年8か月も続いた。ご存じのように、これは戦後最長である。

どうして、安倍政権はあれほど長く続いたのだろうか。小泉純一郎首相の後の日本の首相はいずれも、長く政権を維持することができなかった。小泉が退いたあと、安倍が20

12年末に首相に就くまでの期間に、6人の首相がいるが、全員、就任当初は高い支持率を得るが、1年前後で支持率を激減させ、退陣を余儀なくされる。6人全員がほとんど同じパターンである。そして、6人の中には、安倍晋三も含まれている。では、なぜ、二度目の安倍政権は、突然、長続きすることに成功したのか。

二度目の安倍政権は、憲政史上まれにみるほど立派な政権だったからだろうか。評価はさまざまだろうから細かいことはここでは書かないが、安倍政権を褒める人でも、この政権が、憲政史上、最高の成果を挙げたとまでは言わないだろう。それならどうして、「首相はだいたい1年」という状況が定着しつつあった中で、安倍政権だけは長持ちしたのだろうか。

その最大の原因は、安倍政権の直前の「民主党政権」にある。では、「民主党政権」はそんなに悪かったのか。悪く言う人は多いが、しかし、「めちゃくちゃ悪かった」というほどではない。少なくとも、その直前の自民党内閣（安倍晋三、福田康夫、麻生太郎と引き継がれてきた内閣）と比べて、非常に悪い、というほどではない。

が、まさにそこが問題だったのだ。「民主党」の政権は、特によくはなかった。長く続いた自民党を選挙で倒して、「民主党」は政権を獲得した。これは同じ与党の中での首相の交代とは訳が違う。国民には、大きな期待があった。何か根本的な変化がもたらされるに違いない、と。正直にいえば、どのような変化が生じるのか、その変化はいかにして実現するのか、具体的にイメージできている人はほとんどいなかった。しかし、何かとてつもなく大きな変化が起きるはずだ……日本の国民は２００９年の政権交代にそのような幻想をもっていた。しかし、「民主党」には大した策はなかった。「民主党」がもっていた策は「仕分け」くらいのものだった。国家予算を見直し、無駄をなくす作業を続けると、「埋蔵金」が見つかる……そんな幻想を人々は「民主党」とともに抱いていたわけだが、もちろん、埋蔵金など発見されず、仕分けも思ったほどには進まなかった。

というわけで、「民主党」は、それまでの自民党政権と大筋において同じことを続けたのである。しかし、それは許されない。政権交代には、圧倒的な変化が期待されていたからである。こうして、「民主党」は、おおむね普通のことを続けただけなのに、国民から約束を破った裏切り者と見なされた。

だから、日本人はもう一度、政権の担当者を自民党に戻したのである。「民主党」が失敗したあとの政権は楽である。人々は、もはや大きな変化を期待していないからだ。画期的な変化を期待したこと自体が誤りであった、と思うようになっているからだ。「民主党」

を継いだ政権、つまり安倍政権は、国民が「普通こんなものでしょ」と思う程度のことをやり続けられれば、それで十分に高い支持を得ることができたのである。「民主党政権」は目立った変化をもたらすことができなかったことで支持を失い、安倍政権は、「民主党政権」の失敗のおかげで、同じように人々に大した変化を実感させはしなかったが、支持を失わなかったのだ。安倍政権が長く続いた原因はここにある。政権の存続期間は8年近くとたいへん長いので、全期間にこの原因がひとしく利き続けたとは言えないかもしれないが、少なくとも、人々が「民主党政権」のことを生々しく記憶していた最初の3～4年の間は、「民主党政権」の失敗が、安倍政権がタフだった最大の要因だったと考えられる。

まさに「理性の狡智」のように

さて、バイデンに戻ろう。日本の「民主党政権」の例は、大きな変化を期待されていた者が、十分に大胆な策をもっていなかった場合、どれほど大きな代償を支払わなくてはならなくなるかを教えてくれる。現在、バイデンに向けられている期待の大きさは、2009年の日本の「民主党」への期待どころではない。それをはるかに上回ることがバイデンに期待されている。

では、バイデンは何か画期的なことができるのか。トランプ政権がやってきたこと、そのマイナスをすべて解消するようなことをバイデンはできるのだろうか。この点に関して、専門家の意見はおおむね一致している。バイデンが大統領職に就いたからといって、実質的な変化は乏しい、と。大統領がバイデンだからといって、アメリカの経済格差が小さくなるわけではない。米中関係が改善されるわけでもない。

バイデンの最大の課題は、真っ二つに分断されているアメリカをひとつにまとめることだが――本人もそのことをよく自覚しているが――、そんなことができるのか。経済学者のロバート・ライシュ――第一期のクリントン政権のときの労働長官――は、核心をついたことを言っている。「バイデンは、どうやってアメリカを癒やすというのか？　トランプ〔とその支持者〕が、アメリカが癒やされるのを望んでいないというのに」。敵対者（トランプ）もまた、分裂を異常な病であると認識していなければ、その病を癒やし、アメリカを統一することはできない。

バイデンが何かをやりたくても、少なくとも、上院と下院の両方で民主党が多数派でなくては、それは難しい。だが、上院で民主党が多数派になりうるか、微妙な情勢である。そして、最高裁は、保守派が多数派であって、それがバイデンの足を引っ張るだろう。

そもそも、バイデンは、いわゆる穏健派であって、大きな変化をもたらすような大胆なアイデアをもっているわけではない。大きな変化をもたらす意志をもたない、ということこそ、バイデンの「売り」である。バイデンが、はっきりとトランプと異なったことをできるのは、パリ協定からの離脱のキャンセルくらいのものだろう。これは大事に見えるが、ほんとうは大したことではない。アメリカがパリ協定に参加したことで解決に向かうほど、気候変動の問題は簡単ではないからだ。それに、パリ協定に復帰しても、アメリカ人は何か生活が改善されたとか、幸福になったとか、という実感をもつことはないだろう。

バイデンは、だから、大したことはやらないし、できないだろう。その結果は、しかし、恐ろしい。日本の「民主党」は——非常に悪いことをやったわけではないが——とてもよいことは何もできなかった。そのことが、自民党の圧倒的な勝利を導いた。バイデンが、ごく普通のことしかできなければ、それは、トランプの復活・圧勝という結果をもたらしかねない。バイデンの当面の勝利は、より大きな敗北への最初の一歩だとしたら……。こう考えると恐ろしくなる。

子どもの投票

そもそも、アメリカ人は――およそ半数のアメリカ人は――、どうしてトランプを支持するのだろうか。トランプ支持は、これまでの大統領（候補者）への支持とは、非常に性格を異にする。このことを示唆するデータを紹介しよう。

アメリカの教育系の出版社Scholasticは、1940年以来、大統領選挙の年にはいつも、選挙権をもたない学童たちに模擬投票をさせてきた。幼稚園児から高校生までの選挙権をもたない子どもたちが、この投票に参加することができる。これは教育を目的とした模擬選挙で、結果は、実際の大統領選挙よりも前に発表されてきた。この子どもたちの投票の結果と実際の大統領選の結果とは、きわめて一致率が高い。子どもたちから多数の支持を得た候補者が、実際の選挙でもたいてい勝つのだ。得票率まで実際の選挙結果とほぼ一致している場合が多い。[*1]

Scholastic社によると、今まで、子どもの投票が実際の選挙結果と一致しなかったケースは3回しかない。そのうちの1回は、2016年の選挙である。子どもたちからの支持は、ヒラリーの方が圧倒的に大きかった（よく知られているように、大統領選挙前の世論調査でも、ヒラリーは勝っていた)。[*2] 2020年は、どうだったのか。2020年のケースでは、子どもの投票でもバイデンが勝っていたので、一応、実際の選挙結果と合致していた、ということにはなる。

しかし、よく数字を見ると、子どもの投票が、大人のほんとうの選挙を予言していたとは言い難いことがわかる。子どもの投票では、バイデンの得票率は60%を超えている(トランプの得票率は、30%台だということになる)。もし実際の選挙で、これだけ得票できたら、バイデンの地滑り的な大勝利になっていたはずである。しかし、実際の選挙では、バイデンの得票率は51・3%、トランプの得票率は46・8%と僅差である。つまり、子どもの投票と実際の選挙の間には、10ポイント以上の違いがある。先にも述べたように、子どもの投票と大人の実際の選挙では、得票率まで近いのが普通なので——たとえば2012年の大統領選挙でオバマが獲得した得票率は51%で、子どもの投票での得票率とまったく等しい——、勝敗だけは実際の選挙と同じだったとはいえ、2020年の数値は、子どもの投票が実際の選挙結果を予言したとは見なしがたい水準である。

どうして、トランプが絡む選挙では、子どもの投票の結果と大人による選挙の結果との間に大きな乖離(かいり)が生ずるのか。正解を得るためには、逆の問いに先に答えた方がよい。どうして、たいてい、子どもの投票と大人の実際の選挙の結果の間に、きわめて高い一致度があるのか。考えてみると、たいていの子どもは、大統領候補者の政策や公約を正しく理解し、評価しているわけではない。中学生くらいになれば、ある程度は、自分で判断できるようになるだろう。しかし、幼稚園児や小学生も投票しているのである。それなのに、大人と一致するのはどうしてか。

理由は簡単である。幼い子どもの投票は、両親の判断や評価をそのまま反映しているだけだからだ。日頃、お父さんやお母さんがどちらをけなし、どちらを褒めているのか。子どもはそれを繰り返し聴くことで、「トランプは悪い人」「バイデンはいい人」等と思うようになっただけだ。だから、子どもの投票の結果が、大人の選挙の結果と合致するのは当然である。子どもの投票は、彼らの家庭で誰が支持されているのか、誰が不興を買っているのかを知る手がかりになる。

そうだとすると、どうしてトランプ関連の選挙だけは、子どもの投票が大人の実際の選挙の結果を正確に反映しないのだろうか。それは、大人が子どもたちの前では、トランプをあまり褒めてはいない――むしろバイデンを支持しているかのようなことを言っている――ということを意味している。子どもの前でそういう態度をとっている大人の中の少なからぬ数が、しかし、実際には、トランプに票を投じているのだ。ということは、その大人は、トランプを支持することは、道徳的にはあまり好ましくなく、子どもの教育には悪い、と思っているのである。彼または彼女は、トランプを支持することは、ある意味では、恥ずべきことだと思っているにもかかわらず、実際にはトランプを支持していることになる。

重要なことは、このような捻れは、トランプ以前の大統領選挙では、（ほとんど）なかった、ということである。どうして、2016年と2020年の選挙では、このような捻れが大量に発生したのか。その理由はどこにあるのか。

救済者はやってきた？

順を追って考えてみよう。「左翼／右翼」という伝統的な軸を使って測れば、バイデンのポジションは中道である。アメリカのリベラルは、国際的な基準では——左ではなく——むしろ中道だ。アメリカでは、ほんとうの左翼（社会主義）は嫌われてきた。中道の中の中道ともいうべきバイデンは、最も広く支持を集められるだろうと見なされ、民主党の候補者に選ばれた。トランプはどうなのか。彼はもちろん、はっきりと「右」である。

繰り返し言われてきたように、トランプの支持者は熱狂的である。バイデンを熱狂的に支持している人はほとんどいない。バイデン支持者は、熱狂的にトランプに反発しているのだ。だから、選挙全体の構図を規定している原点は、トランプの方にある。対決しているのは、トランプへの引力とトランプに対する斥力である。どちらの力もトランプに発しているのであって、バイデンは関係がない。

バイデンが占めているポジションは、誰からも支持されるはずの中道だった。しかし、中道には、人を惹きつける力はほとんどない。リベラルな中道に属する主張は、おおむね「正しい」とされているだろう。その正しさは、「ポリティカル・コレクトネス（PC）」の意味での正しさだ。しかし、いかに正しくても、それらには魅力が欠けている。それどころか、それらはときに（一部の人には）偽善や欺瞞にすら見えているだろう。

かつて最も多くの人々に信じられ、支持されてきた中道が、著しく弱体化している。中道の弱さ、中道の「偽善」に、トランプの側は巧みに対応している、と言える。多くの人はこう感じている。中道は、正しいことを言っているようだが、どこか嘘っぽく、偽善的だ、と。かといって、中道を超えるもっと説得力があったり、もっと普遍性があったりする「正しさ」が見出されているわけではない。が、少なくとも、そのあけすけな言動によって、中道のもつ胡散臭さを明示的に表現しているという意味で、トランプの方に――バイデンよりも――惹かれる人たちがいるのだ。

彼らも、バイデン（中道やPC）よりもトランプの方が正しい、と論理的に説明できるわけではない。だから、彼らの中の少なからぬ者は、子どもや他人の前で、トランプの支持をあからさまに主張することができない。彼らは、トランプを支持すると公言すれば、愚かと見なされるか、道徳的にいかがわしいと見なされる、ということもわかっている。だが、彼らの直感では、非のうちどころがなく正しいはずのリベラルな主張こそほんとうはもっといかがわしいのだ。その真のいかがわしさを正直に表現しているトランプに、彼らは惹かれることになる。

中道に属するリベラルな主張やPCは、魅力に欠け、偽善的にすら感じられる。一部の――いや多くの――人がそう感じている。どうして、中道はそのような感触を与えるのか。簡単に言えば、中道は、一人ひとりに呼びかけてきているようには感じられない、ということであろう。PC的な主張は、1人ずつの苦境をケアし、またその尊厳をリスペクトしてくれているようには感じられないのだ。いや、そんなことはない、PCこそマイノリティの人々にも配慮しているではないか、と反論されるだろう。しかし、まさにそこがPC

の弱点である。いわゆる「マイノリティ」と分類されない人、たとえば白人の男性でも、夢から疎外され――アメリカン・ドリームをとうてい果たせそうもないポジションに追いやられ――、社会から見棄てられている、と感じている人はたくさんいる。そういう人たちに、ＰＣやリベラルな主張は声をかけようとしない、逆に彼らを見棄てている（ように感じられている）。

それに対して、トランプは、１人ずつの苦境に配慮し、見棄てられていた人々の尊厳を回復してくれる――という印象を与えるのに成功した。この印象は客観的にはとんでもなくまちがっている。トランプは、自分の成功にだけ興味があり、見棄てられた白人労働者１人ずつの救済には関心をもってはいないだろう。しかし、トランプ支持者の目には、トランプが、彼らの苦境に応え、その尊厳を回復してくれるように感じられているのである。

バイデンの場合は違う。バイデンは、たぶん、いい人だろう。親切で心温かく、洗練された物腰で。しかし、バイデンは、その支持者に対してさえも、１人ずつの苦境や尊厳に反応し、呼びかけてきている、という印象を与えはしない。彼は、「一般的に正しいこと」を言っているだけだ。

Ａ・Ｒ・ホックシールドが『壁の向こうの住人たち』（布施由紀子訳、岩波書店、２０１８

年）で調べたことが、機微をよく捉えている。ラストベルトに住んでいるような右派の白人労働者は、この本によると、次のような「ディープストーリー」（自分や世界の現状を理解するための枠組みとなる基本的な物語）をもっている。アメリカン・ドリームに終着するような長い列があって、みんながそれに並んでいる。自分は十分にまじめにがんばってきたのに、列があまりに長く、ちっとも前に進まない。こんなに努力しているのにおかしいな、と思って、ずっと先の方を見ると、割り込みをしている奴（やつ）がいる。それがヒスパニック系だったり、黒人だったり、女性だったりする（つまり「多様性」を謳（うた）うリベラルな中道が応援している人たちだ）。

移民に対して排斥的で、あからさまなレイシストのようにすら見えるトランプは、こういう人たちのディープストーリーの中で、救済者として現れる。彼らは、「私は見棄てられてはいない」と感じることになるのだ。もちろん、この見方は完全にまちがっている。列が前に進まないのは、ヒスパニック系等の人が前の方に割り込んだからではなく、グローバル資本主義の基本的な構造に原因がある。国境に壁を作ったからといって、列の進みがよくなるわけではない。国境を越えて入ってくる難民は、列の前の方に割り込むのではなく、嘆いている白人労働者よりもはるかに後方に並ばされるか、列の最後尾にすら入れてもらえないか、のどちらかなのだから。しかし、それでも、はっきりと「右」にいるトランプは、このアメリカン・ドリームのディープストーリーの中で、積極的な役割を演じている（という印象を与える）。バイデンや民主党は、長い列の中に埋もれている人たちを助けようとはしない……と人々に感じられている。

空いているポジション

それならば、どうしたらよいのか。基本的な構図を再確認しよう。かつて最も多くの人々の支持を集めていた中道は、今や魅力を失い、人々を惹きつけない。その中道に位置を占めているのがバイデンだ。バイデン単体では、いかなる力も働かない。

トランプは、大きく右寄りにいる。そのことによって、中道のもつ弱点、中道のもつ偽善性を明示的に指摘するものになっている。その指摘の仕方はきわめて下品な、反ＰＣ的なものだが、それがかえってよい。ＰＣの欺瞞をパフォーマティヴに指し示すことになるからだ。そしてまた、国民に庶民的な親しみを感じさせるからだ。こうして、トランプは、リベラルな中道が主導する世界で冷遇されていると思っている（誤解している）人々にとっては、救世主のように見えてくる。しかし、これは誤った幻想である。

ともかく、トランプが入ったことで、政治の場に力が働き始めた。トランプへの引力がまず発生するのだ。そうである以上は、その引力に抵抗する力、トランプに抗する斥力も発生する。その斥力を活用しているのがバイデンである。

ともかく、2020年の選挙でバイデンは勝った。しかしバイデンが代表している中道のイデオロギーには、もはや魅力がない。それは、トランプに魅了された7千万人以上のアメリカ人を救済し、あらためて「ひとつのアメリカ」に統合する力をもたないだろう。バイデンは、トランプ以上のことはできないだろう。彼は、実質的にはトランプがやったことを、上品な言葉や態度で繰り返すだけだろう。しかし、もしバイデンがトランプと同じことしかできなければ、2024年には、トランプ(的な人)の復活、その真の勝利が待っている。

どうしたらよいのか。だがここでもう一度基本的な構図を見直そう。「中道vs.右」。はっきりと空いているポジションがある。「左」である。「中道vs.右」の対立で、主導権を握るのは、「右」だった。中道の魅力が完全に枯渇してしまっていたからである。しかし、その枯渇に対応するやり方は、「右」にシフトすることだけではない。「左」にシフトする方法もあるはずだ。アメリカ人は伝統的に、「左」を、つまり社会主義を連想させる政治を嫌悪してきた。

しかし、ほんのちょっとだけ振り返ってみればよい。トランプ並みに、人々を熱狂させた大統領候補もいたではないか。バイデンは、支持者を熱狂させなかったが、その候補者は、熱狂させた。しかも、その支持者の大半は、トランプに反発した層、ミレニアル世代とかZ世代とか呼ばれる若い人々だった。どの候補者のことを言っているかわかるだろう。サンダースである。サンダースはあまりにも「左」寄りで、社会主義的だとして、民主党の大統領候補に選出されなかった。トランプに真に打ち勝ち、その悪夢を追い払う唯一の道は、「左」にある。サンダースであるかどうかは別として、ほんとうの答えは「左」にある。真に勇気をもって、はっきりと「左」への道をとったときだけ、アメリカは、2024年の大統領選で、トランプの復活を防ぐことができるだろう。

＊1　この子どもの投票のことを、私は、憲法学者の木村草太さんから教えてもらった。2016年の大統領選挙のときである。

＊2　他の2回は、1948年の選挙（トルーマンがトマス・デューイに勝った選挙）と1960年の選挙（ケネディがニクソンに勝った選挙）である。詳しくは解説しないが、どちらも非常に例外性の強い選挙だった。前者は、史上最大の番狂わせと言われた選挙（デューイが勝つに決まっていると信じていた『シカゴ・デイリー・トリビューン』紙が「デューイ、トルーマンに打ち勝つ」という見出しを一面に記した紙面を配信してしまったくらいだ）で、後者は、勝者と敗者の間の得票率の差がわずか0・1％と（それまでで）最小だった選挙である。

(2) BLMから考える

BLMとコロナ禍

2020年5月25日にアメリカのミネソタ州ミネアポリスで、黒人男性のジョージ・フロイドさんが白人警官によっていたましいやり方で殺された事件をきっかけとして、"Black Lives Matter"をスローガンとしてかかげる黒人差別への抗議運動が、世界中で起きている。まず注目すべきは、スローガンの主語が、Blackであること、politically correctな「アフリカ系アメリカ人African American」ではなくBlackであることだ。

BLMの抗議運動の世界的な盛り上がりが、現在のコロナ禍と相関しているということは、すでに繰り返し指摘されてきたことだ。第一に、新型コロナウイルスによる死亡者の数が、明らかに黒人の方が多かったこと。このことが、否定できない数字として、アメリカ社会において黒人が差別されている現実を映し出した。なぜ黒人の方が多く死ぬのか。もちろん、貧しいからである。多くの黒人がギリギリまで医者に行くことができず、また家の中で自粛できるような仕事には就いていないからだ。抗議は、こうした現実への怒りの表現である。

第二に、次のようなことを指摘する人もいる。アメリカやその他の国々でのいくつかのデモでは、明らかな「三密」の状況が作られており、ウイルスの感染予防に必要な身体間の物理的距離が維持されていない。こうした事実を念頭に置きつつ、抗議のための行動が、コロナ危機からの一種の逃避の手段にもなっている、と見る者もいる。未知のウイルスの人間社会への侵入、それにともなって夥しい数の人が——ときには葬儀もあげられずに——死んでいった。このことは、社会の土台が崩壊するような不安を人々に与えたに違いない。このとき逆に、自らが強く信ずる価値観のための闘争に参加することは、こうした不安から人々を解放する効果をもつ。

確かにこうしたこともあるだろう。だが、私は、これに加えて、コロナ危機はもっとシンプルな効果をもち、デモに作用していたと考える。それが、コロナ禍とＢＬＭとの第三の相関である。現在のＢＬＭのデモの特徴のひとつは、アメリカのみならず、世界各地で――とりわけヨーロッパの諸都市で――大規模に執り行なわれたことにある。これまでもアメリカでは白人の警官が理不尽な仕方で黒人を死なせてしまったことがあり、そのたびに激しい抗議行動が見られた。だが、それらは主としてアメリカ国内でのことだった。しかし、フロイドさんの死が引き起こした抗議行動は、アメリカ国内にとどまらず、世界中に飛び火した。どうしてなのか。それは、世界で同時的に生起しているコロナ禍が人々の「共感（共苦）」への感度を高め、連帯の環（わ）を広げたからではないか。

　ウイルスの感染の急速な拡大がわれわれに強く自覚させたこと、最も愚かな政治家でも理解したことは、人類的なレベルの普遍的な連帯の必要性ということである。ウイルスの問題は、一国や一地域では解決できない。というより、「一国だけの解決」というものはそもそも意味をもたない。仮に自国の感染者を減らすことができたとしても、地球のどこかになお感染者が残っていれば、自国にとってすらも脅威は消えていないことになるからだ。コロナ対策をめぐって、実際には、各国の利己主義がむしろ極端に高まり、先ほど述べたように格差の問題も浮き彫りにしているのだが、それでも、少なくとも――政治家ではない――一般の人々が、とりわけ身近に大量の死を体験した欧米の人々は、これほど切実に、人類的な連帯の必要を実感したことはなかったはずだ。こうしたコンテクストがあったがために、フロイドさんの悲劇的な死は、世界各地に大規模なデモを引き起こしたのではないか。人々は、他者の死に対して――とりわけ不公正な死に対して――敏感になっていたのだ。1人の黒人が白人の警官による暴力の犠牲になったことが、大きな連帯の触媒になりえたのは、コロナ危機がもたらした感受性の変化があったからではないか。*

「私はあなたたちのために何ができるのでしょうか」

だが、連帯とは何なのか。何をしたら、差別されている黒人と連帯し闘ったことになるのか。スパイク・リー監督の『マルコムX』を観(み)たことがある人は、映画の後半に、小さな挿話として組み込まれている次の印象的なシーンをよく覚えているはずだ。マルコムXは、すでにネーション・オブ・イスラム（NOI）のスポークスマンとして非常に成功し、NOIのリーダーであるイライジャ師よりもはるかに高い名声を博していた。彼はすでに、キング牧師と並ぶ偉大な黒人解放の活動家となっていた。そんなあるとき、マルコムが、側近たちを従えて大学のキャンパスのようなところを歩いていると、1人の白人の女子大生が彼に近づいてきて、次のような趣旨のことを尋ねた。「私はあなたの講演を聴いてとても感動しました。私があなたたちのために何ができるのか教えてください」と。これに対するマルコムの答えは、"Nothing"である。白人が差別に苦しむ黒人のためにできることは何もない、と。

このマルコムXの態度はとても偏狭なものに見える。黒人の解放のためには、差別する側に属する白人の中の自己批判者たちを味方につけるべきではないか。なぜマルコムは、この善意の女子大生を拒絶したのか。その理由を理解するのは、しかし、それほど難しくない。この女子大生は、黒人たちを無力な——自分たちだけでは十分なことをなしえない——犠牲者と見なしている。そして自分自身を、差別意識から脱した善き理解者であると見なしている。こうした自己認識の上で、彼女は、哀れな犠牲者である黒人を支援しようとしているのだ。このとき、黒人は、自力で闘いうる主体とは見なされていない。しかし、この種のパターナリズム（親子関係に比せられる温情主義）こそ、まさに差別そのものではないか。

こう考えると、黒人と連帯することは難しい。現在のBLMの運動のすべてが、差別された黒人とほんとうに連帯したことになっているのか、疑わしい。今回のBLMのデモの大きな特徴は、参加者が黒人だけではないこと、多くの白人がそこに含まれていることにある。このことには、先に述べたように、コロナ危機がもたらした共感の感受性の変化、その敏感化が与（あずか）っていることだろう。彼らはしかし、マルコムXから拒絶されたあの白人女子大生とははっきりと違う、と言えるのだろうか。少なくとも次のことは確認できる。現在の反人種主義的な抗議活動の非黒人参加者の多くは、上位中産階級（以上）の比較的裕福な白人だが、黒人たちが被差別感を覚えるとき、差別者として想定されている典型こそ、まさにこの階級の白人である。

　マルコムXから拒絶されずに、彼らと真に連帯するためには、非黒人は何をすべきなのか。外から犠牲者を救済する、という態度では、今述べたように、ダメである。非黒人もまた、差別し差別されるという社会構造に内在する者として、〈自分自身の闘い〉にコミットしなくてはならない。その自分自身の闘いが同時に黒人たちの闘いでもあるとき、そのような結合が自然に生ずるとき、はじめて私たちは黒人と連帯したことになる。

　が、そうなるためには、まだ足りないものがある。どのような意味で、人種主義に対する黒人の闘いが、私たち自身の闘いでもありうるのか。私たちは、いや誰も、それを理解できてはいない。私（たち）はどうして特定の人種を差別してしまうのか。人種主義はなぜ生まれたのか。現代社会においても人種主義が弱まることなく持続しているのはどうしてなのか。誰にも、ほんとうはその原因はわかっていない。それがわからないということは、究極的には、何をターゲットにして闘えばよいのかわからない、ということでもある。言い換えれば、何を目指して闘えばよいのか、どこへと向かっているのか、誰もほんとうは理解できずにＢＬＭの運動に参加している。しかし、人種主義がなぜ生まれ、そして持続しているのかを理解していなければ、それを〈私たちの闘い〉として引き受けようもない。

行動の前に言葉が

なぜ、黒人が――あるいは有色人種が――差別されるのか。どうして、その差別の構造が今日に至るも持続しているのか。これは、実にふしぎなことである。

普通、差別は偏見から来ると解されている。もし差別が偏見に基づくのだとすれば、近代的な啓蒙(けいもう)を通じて人が偏見から解放されれば差別は消える、ということになる。たとえば「血の汚れ」のようなものに、いかなる合理的な根拠もないことを知れば、差別はなくなるだろう。この見解に従うならば、差別は近代的な啓蒙以前の態度である。このようなタイプの差別は、確かに存在する。差別の大半は、この種のものだと言ってよい。日本の部落差別はそのような差別のひとつである。インドのカースト制度もまたその種の差別だ。これらは、近代以前のものの残存である。

人種主義、黒人に対する差別も、同じようなものとして説明されている。しかし、近代の人種主義には、この説明は実は当てはまらない。黒人に対する差別は、前近代的な偏見の残存によっては、理解できないのだ。このことは、黒人を差別する人種主義が、世界で最も前近代的な残滓(ざんし)が少ない国——つまりアメリカ合衆国——で執拗(しつよう)に持続しているということ、いやそのような国においてとりわけ大きな力をもっているということを思うだけでも、明らかだろう。世界で最も近代化が徹底している国で、そのような国でとりわけ、どうして人種主義は消えないのか。人種主義が、近代性とか啓蒙によって克服されるものではないからだ。

現代の人種主義の歴史的起源を考慮に入れれば、この点はますますはっきりしてくる。黒人への差別の端緒はどこにあるかといえば、誰もが知っているように、新大陸における奴隷制度である。19世紀に奴隷制度は廃止されたが、差別の構造は消えなかった。今日に至るまで、である。では、奴隷制度は、前近代的なものの残存か。違う。確かに、多くの前近代社会には奴隷がいた。しかし、ヨーロッパに関していえば、中世の末期にはすでに奴隷はほとんどいなくなっていた。ヨーロッパ文明は、——前近代においては数少ない——奴隷制の真空地帯だったのである。ところが、そのヨーロッパ人が新大陸に入植した後、そこに大規模な奴隷制度を導入した。新大陸で始まった奴隷制度とそれに由来する人種主義は、むしろ近代的な現象である。

どうして人種主義はいつまでたっても消えないのだろうか。肌の色によって人を差別することに、いかなる合理的な根拠も利得もないことを人は知っている。それなのに、人種主義はどうしても消滅しない。奴隷が解放された後も、何度も法や制度は改正されてきた。公民権運動もあった。しかし、人種主義が克服されることはなかった。

その原因は誰にもよくわかっていない。人種主義への衝動はどこから来るのか、誰も正確に特定できてはいないのだ。反人種主義の運動の困難も、ここから来る。何を批判のターゲットにすればよいのか。何をどう変革すれば人種主義は克服されるのか。こうしたことがよくわからないのである。

今回のBLMの運動では、当初、その極端な暴力性が問題にされた。商店が破壊されたり、略奪が横行したり、と。過剰な暴力性に対する批判はもちろん正しい。しかし、どうして暴力が噴出したのか。人は一般に、言葉では説明できないことを求めているとき、暴力に訴える。言葉で表現されているすべてのことに違和感があるとき、人は、暴力によってその違和感を表現するしかない。「それじゃないんだ」と思いつつ、それではないものが何であるかを言語化できないとき、暴力でその不定の欲望を表出することになるのだ。

人種主義は確かに悪いとして、人種主義が何を原因としているのか、誰も把握できてはいない。そのことが、抗議運動の中に理不尽な暴力が宿る原因にもなっている。とすれば、最初になすべきことははっきりしている。人種主義が、黒人への差別が何を原因としており、それが執拗に持続するのはなぜかを、明晰（めいせき）に言語化すること、これである。普通は、何かはっきりとした社会問題があるとき、すぐに行動を起こさず、分析したり理論化したりしている者は批判される。さっさと行動せよ、と。しかし、現在私たちが直面している人種主義に関しては、そうした批判は不適切だ。明晰な言語によって理論化されなければ、適切に行動することも不可能だ。

リー将軍のみならずリンカーン大統領も

だが、この点に関しても、現在のＢＬＭの運動は、自ら墓穴を掘っている。理論化のための知的資源を自ら否定しているのだ。ここで念頭においているのは、「人種主義」の疑いがある過去の人物の業績の、あまりにも広範な否定である。それは、たいてい彼らの偉業を記念する像の破壊というかたちで現れている。

南北戦争のときの南軍の司令官リー将軍の銅像を破壊する、というところまでは理解できないことではない。しかし、リンカーンの奴隷解放記念碑まで撤去すべきだ、という一部のBLM論者はどうだろうか。彼らは、この記念碑に表されている、リンカーン大統領の黒人奴隷に対する尊大な態度を問題にしている。手枷(てかせ)を切断してもらった黒人男性がひざまずき、その傍らにリンカーン大統領が立っている。そのため、大統領は黒人男性を見おろす形になっているのだ。しかし、反人種主義を掲げてリンカーン大統領まで否定するならば、やはりこう言わなくてはならない。今、われわれが反人種主義を正当なこととして主張できるのは、誰のおかげなのか、と。

アメリカ合衆国の歴史の中で最も尊敬されてきた人物、いわゆる「建国の父」たちにも嫌疑がかけられている。確かに、彼らはたいてい裕福で、多数の奴隷を所有していた。トーマス・ジェファーソンが大農園主で、何百人もの奴隷をそこで働かせていたのは事実である。しかし、彼らが起草した独立宣言や、あるいは独立のすぐあとに作成され発布されたアメリカ憲法こそが、今日の人種差別への闘いのための、最も重要な思想的根拠である。それがなければ、人種主義を批判することもできなかっただろう。

過去の偉人たちを人種主義者として糾弾する動きは、現在のBLM運動の前から始まっていた。BLMの盛り上がりの中で、この動きも顕著になっているが、こうした動きの端緒はそれより前にあり、さらにアメリカに限定されることでもない。たとえば、2018年の末には、ガーナ大学にあったマハトマ・ガンジーの像が——建立からわずか2年半しか経っていなかったのに——撤去された。ガンジーは差別主義者だった、というのだ。どうして？ ガンジーが若い頃、南アフリカで闘っていたとき、インド人の解放にだけ目を向けて、黒人には無関心だったから、というのがその理由だ。だが、ガンジーが差別主義者だったとしたら、世界史の中に反差別主義者は存在しなかった、ということになるだろう。ガンジーはまず、自らの闘いにコミットしただけである。解放の目標がインド人だったのか、黒人だったのかにこだわらず、まずは彼が差別と闘ったことを顕揚すべきではないか。

みんな人種主義者だった、しかし……

人種主義の疑いがある過去の思想家や政治家のリストは、いくらでも拡大することができるし、現にそのような兆候が見られる。だが、考えてみると、私たちが今日継承している、西洋の思想家や哲学者で、人種主義や反ユダヤ主義から完全に自由な者など、ほとんどいない。プラトンとかアリストテレスなど前近代の哲学者に人種主義的なバイアスがあるのは当たり前のことだが、今日の反人種主義に理論的・哲学的な基礎を与えている近代の思想家たちも、ほとんど人種主義や反ユダヤ主義につながる偏りをもっている。マルクスにしても、ニーチェにしても、キルケゴールにしても、そうである。反人種主義者が、これらの思想家を非難するならば、それこそ、人種主義者や差別論者の思う壺である。反人種主義者は、自らの根拠、自らの武器を放棄し、敵に委ねるようなものだ。

たとえばヘーゲル。ヘーゲルの歴史哲学では、歴史の究極の目的は、すべての人の自由の自覚と実現にこそある。解放闘争にとって、これほど力強いイデオロギー的なサポーターはいない。しかし、同時にヘーゲルには明らかに反ユダヤ主義がある。彼が古代ギリシアとユダヤ教とを対比しながら論じている部分では、このバイアスを除去するのに苦労する。

あるいはデカルト。彼が見出した「コギト（純粋な思考の主体）」は、性とか人種とかの属性には無関係な平等な個人というアイデアの原点となった。彼は、この概念に、書斎での孤独な思考によって到達したのではない。かつて柄谷行人（からたにこうじん）が繰り返し強調していたように、デカルトは一種の文化人類学的な考察、旅の体験を通じてコギト概念を獲得した。『方法序説』にはこうある。「その後旅に出て、〔私は、〕われわれの考えとはまったく反対な考えをもつ人々も、だからといって、みな野蛮で粗野なのではなく、それらの人々の多くは、われわれと同じくらいにあるいはわれわれ以上に、理性を用いているのだ、ということを認めた」（野田又夫訳、中公文庫）。これは移民を擁護し、文化の間に優劣の差があることを否定する今日の多文化主義者の主張とまったく同じである。しかし、デカルトは、露骨な人種主義者であり、また性差別主義者でもあった。

ヘーゲルもデカルトも、人種主義の嫌疑で棄却すべきなのか。もちろんそうすべきではない。ではどう考えればよいのか。彼らが人種主義への強い傾きがあったという事実を視野に入れた上で、どのように考えればよいのか。私たちがここに見るべきは、思想というものの驚異の逆説である。思想は、それを唱えたものの意識や意図を超え、それらを批判さえしうる驚くべきポテンシャルをもつのだ。私たちは、テクストを読むとき、ヘーゲルやデカルトは何を意識し、意図していたのかと問う。しかし、彼らが解き放った思想は、彼らの意識や意図よりも大きい。彼らの思想そのものによって、ときに、彼らの意識していたこと、彼らが意図していたこと、さらには彼らが感じていたことさえも克服し、批判し、拒否することが可能だ。

私たちがなすべきことは、過去の思想家や政治家に人種主義の痕跡を見つけて否定することではない。そうではなく、彼らを、その思想の逆説性とともに受け入れ、肯定することである。過去の「人種主義」への批判は、白人の「罪の意識」から来ている。しかし、過去の罪を認め、他者（黒人）に謝罪するためには、同時に、自身の過去を肯定し、過去からの連続性を認めなくてはならない。さもなければ、誰が謝罪しているのか、わからなくなってしまうからだ。全面的な自己否定、トータルな自己卑下に基づく謝罪は、定義上、虚偽である。

最後に一言付け加えておこう。私はここで、BLMから出発して考えてきたので――つまりアメリカにおいて最も顕著な差別に対する抗議運動から考えてきたので――、当然、西洋の過去、西洋の思想家について論じることとなった。しかし、同じことは、日本についても言える。日本人にとって、その逆説性とともに継承し、肯定すべき過去の思想とは何なのか。日本人はそれを見失っている。

＊　だが、すると、日本人としてはひとつのことが気になる。ＢＬＭのデモは、日本ではほんのわずかしかなかった。まったくなかったわけではないが、しかし、ヨーロッパに比べれば、その規模は圧倒的に小さく、デモの回数も少なかった。イスラエルの次に親米的なこの国で、アメリカの黒人の苦しみに共感する者の数は少ない。

5章

日本国憲法の特質

——私たちが憲法を変えられない理由

初出　『一冊の本』　２０２１年　４月号

短い憲法

私たちの憲法は短い。日本国憲法の字数は非常に少ない。日本国憲法は、英文では、およそ5千語になる。比較政治制度論を専門としているケネス・盛・マッケルウェインが、1789年以降に存在した世界の成文憲法を英訳して比較し、それを通じて日本国憲法の特徴を分析している。[*1] それによると、およそ900の成文憲法の平均語数は、2万1千である。日本国憲法は、平均の4分の1にも満たない。世界的に見て、きわめて短い方の憲法だということになる。どうして私たちの憲法はこんなに短いのか、ということを考えてみよう。

先に言っておく。短いからといって、悪いわけではない。逆に良いわけでもない。憲法の長さと憲法の良し悪しには、何の相関関係もない。ちなみに、最長の憲法はインド憲法で、その語数は、日本国憲法のおよそ29倍である。

日本国憲法が極端に短い直接の原因は、はっきりしている。敗戦後、大急ぎで作ったからである。敗戦によって、基本的には、これまでの制度がすべて無効になった。さまざまな政治制度をどうするのか、詳細がまだ決まっていない。その段階で憲法を作るので、政治制度について憲法の中で明確に規定するわけにはいかなかった。たとえば国会議員の定数、選挙制度、地方自治のやり方等々について、詳しく憲法に書くことができない。そうすると、それらの制度にまったく言及しないか、言及した場合には、詳細に関しては「別に法律に定める」として、実質を未規定にしておかなくてはならない。大まかな線しか書けないので、憲法はどうしても短くなるのだ。

だが、どうしてそんなに急いで作ったのか。急ぐ必要があったのか。「敗戦で、これまでの憲法が事実上なくなってしまったのだから、急いで新憲法を作るのは当たり前ではないか」と思うかもしれないが、考えてみれば、そこまで急ぐ必要はない。どちらにせよ、しばらくは、GHQが、超法規的な仕方で日本を統治していたのだから。急ぐ必要はなかったはずなのに、異様な突貫工事で憲法の原案が作成されたのである。どうしてなのか。

この点については、さまざまな説明がなされてきたが、加藤典洋(のりひろ)が、亡くなる直前に出した『9条入門』(創元社、2019年)で述べていることに圧倒的な説得力がある。加藤が数々の状況証拠を重ねながら推測していることの結論を述べれば、ことはマッカーサーの政治的野心に関係している。将来大統領になることを目指していたマッカーサーとしては、極東委員会(日本を連合国が占領管理するために設けられた最高政策決定機関)が実質的な活動を始める前に、つまり同委員会の第一回会合が開かれる前に、日本の憲法の骨格を決めてしまっておく必要があったのだ。マッカーサーは、日本の占領統治を自らの力で成功させ、母国に英雄として「凱旋（がいせん）」する必要があった。占領政策の主導権を極東委員会に奪われるわけにはいかない。

マッカーサーにとって特に重要だったのは、「天皇」に関する条項だ。彼は、自らの占領統治を成功させるためには、天皇も天皇制も存続させる必要があると考えていた。しかし、天皇にまったく戦争の罪を問わない、という条件を、他の戦勝国が（必ずしも）受け入れるとは思えない。「天皇」の継続を認めさせるためには、戦勝国を納得させる取引材料が必要だ。それが「九条」であった。

これより詳しい説明は割愛しよう。とにかく、マッカーサーは、将来アメリカ大統領選で勝つための布石として、日本の新憲法の作成を急がせ、またその内容にも積極的に介入したのだ。その結果、非常に短い憲法ができあがった。

長寿の憲法

憲法が短い理由は、しかし、「急いで作ったから」ということだけではない。もうひとつ重要な理由がある。「まったく改正されなかったから」、という点も大きい。日本人なら皆よく知っているように、この憲法は、制定以来、一度も、ほんのわずかも改正されてはこなかった。制定からおよそ4分の3世紀になる。これは、非改正の期間としては、現存の憲法の中で最長である。つまり、日本国憲法は、いま生きている憲法としては、最長寿だ。[*2]

憲法は、改正されると長くなる傾向がある。改正は、主として、制定したときには想定されていなかった状況の変化に対応するためのものだからである。新しい権利が書きこまれたり、新しい制度のことが規定されたり、と。しかし、日本国憲法は改正されないので、少しも膨らむことがない。憲法は短いまんま、ということになる。

すると次の疑問はこうなる。どうして、日本国憲法はこれほど長い間、まったく改正されなかったのだろうか。考えてみれば、これは奇妙なことである。20世紀の後半から現在までの間に、世界は大きく変化した。世界中の国民が、そうした変化に対応して、柔軟に自分たちの憲法を変えてきた。しかし日本人だけが、憲法を変えなかった。だが、冷静に考え直してみれば、日本人こそ、憲法を改正しそうな国民のトップであろう。

先ほど述べたように、日本国憲法はもともと、大急ぎで「間に合わせ」のように作られた。まだほとんど何も決まっていないのに、無理やり、おおまかなことだけを書いたのだ。そのため、日本国憲法の至る所に、見えない「空欄」がある。ならば、情勢が定まり、多くのことが決まったところで、空欄を埋めるのは当たり前のことである。そもそも、主権がない状況の中で作られた憲法である。とすれば、主権を回復したあとで、あらためて、憲法を自分たちの都合のよいものに手直しするのが普通であろう。

それなのに、日本人は、憲法を改正しなかった。世界で最も憲法改正を必要としているはずの国民が、なぜか、憲法をまったく変更しなかったのだ。ふしぎなことである。

変えられない理由

さて、ここからは私の推論である。どうして、日本国憲法は、かくも長い期間、まったく改正されなかったのか。日本人は、憲法を変えることを恐れているようだ。日本人は、憲法に変更を加えることに、無意識のうちに（強く）抵抗しているのだ。どうしてなのか。

その原因は、やはりあの条項にあると見るほかない。「憲法改正」ということになると必ず問題になるあの条項、すなわち九条である。日本人の間で憲法の改正ということが主題になるのは、常に、九条をめぐってである。言い換えれば、憲法の中で、「改正すべきである」という意見が最も多いのは、九条だ。九条改正の支持者の数は、日本国民の半数よりは少ないが、それでも、「改正」という意見をもっている人が最も多い条項は、これである。他の条項については、ほとんどの人が特段の意見をもってはいない。気になるのは、九条のみである。

日本人は、憲法の非改正に異様に執着してきた。その原因は、憲法九条を改正することに対して、非常に強い――無意識の――抵抗感があるからだ。奇妙なことではある。日本人は、いつも九条を改正すべきか否かを云々し、議論しているのに、しかしほんとうには変える気がない。どうやら、変えられないのだ。九条を変えたら何かとんでもないことが起きるような気がする……そんな無意識の恐れを日本人は抱いている。実際には変更しない限りで、憲法九条の改正について議論することが許されている。日本人を外から観察していたら、このように判断するだろう。

憲法の究極の不動点が、九条なのだとしたら、他の部分ならば改正できるのではないか。憲法九条だけが問題ならば、他の条項に関しては、いくらでも時代の変化に合わせ、より適切なものに改正したり、あらたな事項を追加したりすることができるのではないか。ところが、そうはいかないのだ。ここが興味深いところではある。

確かに、憲法九条とは意味的にまったく関係のない部分に関して、国民の過半数が支持するような内容の条項を作ることは可能だろう。憲法とは切り離して、その内容の賛否を問えば、過半数の国民が支持するような規定は、いくらでも作りうる。しかし、それが憲法の中に組み込まれるのであれば、そうした方向への改正は日本人には絶対に認められない。どうしてなのか。

日本人は、「改正可能性」という様相が、九条に伝染することを密(ひそ)かに恐れているからである。どういうことか説明しよう。日本人は、もちろん、憲法は改正可能だということを知っている。憲法自体にそうはっきりと書いてある。国会議員の3分の2以上が賛成し、国民投票で過半数の支持が得られれば、改正できる、と。だから、日本人は、憲法を変えることができることは知っているが、他方で、実際上は、憲法というものは変わらないものだ、と思っており、安心している。その「安心」という感情が生ずる原因は、おそらく、九条にある。憲法が変わらない以上は、九条も変わらない、と。

だが、もし憲法のどこかが、実際に改正されたとしたらどうか。九条とは論理的なつながりがない部分であっても、もし実際に改正されてしまったとしたらどうなるだろうか。そのとき、日本人はあらためて実感するはずだ。「ああ、憲法って、変えられるんだ」と。

いや、この他動詞的な表現は、日本人がそのとき感じるだろうことの記述としては、あまり正確ではない。日本人の多くは、こう感じるはずだ。「憲法って、変わるんだ！」と。このように自動詞を使った方が、日本人の感情の表現としては正確だ。

ともあれ、憲法のどこかを変更すれば、憲法の全体に、それまでになかった新たな様相が付け加わることになる。「可変性」あるいは「改正可能性」という様相が、である。この様相は、もちろん、論理的にはもともとあったものだが——つまり原理的にはもともと憲法は改正可能だったのだが——、実際に改正されたときにはじめて、自己言及的に、真に憲法の現実的（アクチュアル）な様相になる。ヘーゲル風に言えば、概念が現実的なものになるのだ。

このとき当然、九条も、可変性という性質を帯びるようになるだろう。九条が実際には改正されていなくても、憲法の別のどこかが変われば、九条もまた変わりうるものになるのだ。そうなることが、日本人には不安なのだ。

たとえば、憲法には、内閣についてあれこれ書いてあるが、しかし、そもそも内閣とは何か、内閣の構成員は誰なのか、明確に書かれていない。内閣総理大臣以外の大臣は、「国務大臣」と一括されているだけで、どんな大臣がいるのかは憲法に書かれてはいない。内閣とは何かを正確に定義すべきだし、この点だけを——憲法という文脈から切り離して

——問うたら、多くの人の賛同が得られるだろう。しかし、もしこの部分を、憲法の条項として改正すれば、改正可能性あるいは可変性という性質が、同じ憲法の中にある九条にまで伝染するだろう。

というわけで、九条が改正されることを恐れている以上、日本人は、憲法全体を絶対に変えることができなくなったのだ。

冒瀆の繰り返し

だが、ここでまた奇妙なことが起きていることに気づかなくてはならない。憲法九条ほど冒瀆(ぼうとく)的に扱われてきた法はない。九条に書いてあることは、それほど難解なことではない。中学生くらいの国語力で十分に理解できることが書かれている。戦後の歩みを通じて、日本人と日本政府は、誰でもすぐに理解できるこの九条を蹂躙(じゅうりん)し続けてきた。九条違反の疑いのあることをどこまでできるのか、その範囲を次第に大きくするプロセスが、日本の戦後の政治史だった。

今では、あまりはっきり言う人はいなくなってしまったが、かつては、自衛隊が、憲法九条第二項で「これを保持しない」と規定されている「陸海空軍その他の戦力」ではないか、ということが問題になった。少なくとも、国際法的には、「自衛隊」などというカテゴリーは存在しない。自衛隊は、国際法の上では、まったく普通の軍隊である。日米の軍事同盟はどうなのか。九条をもちつつ、日米安保条約を締結し、維持することは、憲法の精神に反するのではないか。集団的な自衛権はどうなのか……。

日本人は、九条を繰り返し蹂躙してきた。法哲学者の井上達夫は、「九条削除論」なるものを唱えている。九条を改正するのではなく、九条そのものを削除してしまった方がよい、と。井上は、日本の再軍備を推進するためにそのように主張しているのではない。ここまで冒瀆的な扱いを受けている法を維持していると、やがて、日本人の法への感覚それ自体が、全体として侵されることになるのではないか。このことを井上は懸念しているのだ。憲法の最も重要な規定をあそこまで蔑ろ(ないがしろ)にできるのであれば、法一般への敬意が失われることになるだろう、と。

井上の目から見ると、「九条」に関係するところで、日本人の法への感覚は病んでいる。そのままほうっておくと、患部は、法一般への意識に拡(ひろ)がっていくだろう。そうなる前に、悪い部分は切除してしまった方がよい、というわけだ。[*3] ここで「九条削除論」の妥当性について考えるつもりはないが、このような論が唱えられるほど、九条はひどい扱いを受けてきた。

だが、そうすると、ここまで述べてきたことと矛盾しないか。日本人は、九条を変えること、九条が変えられることに、無意識の強い抵抗感を持ち続けてきた、と述べてきたではないか。そうである。日本人は、九条に対して、両極的な態度をとってきたのだ。一方では、異様にそれに執着し、改正に抵抗し続けている。他方では、あらん限り徹底して、それを冒瀆してきた。九条を尊重しているのか、軽視しているのか、よくわからない状況だ。

この態度は、ひどいDVで妻を虐めながら、その妻とどうしても別れることができない夫と似ている。男は、始終妻に怒鳴り散らし、彼女をしばしば殴ったりしている。そんなに妻が気に入らないのならば、別れればよいと思うのだが、男は妻に執着してもいて、離婚に同意せず、逆にストーカーのように妻を追いかける。日本人の九条への対し方もこれと同じだ。

敗戦の傷

どうして、九条への態度に、こんな極端な二重性が生ずるのか。日本人の「精神分析」

をさらに進めなくてはならない。

まず、日本人が九条を棄てられない理由から考えてみよう。最も基本的なことは、はっきりしている。日本人は、九条に書かれている理念、つまり絶対平和主義の理想に、非常に好ましいものを感じているのだ。九条には、道義的な卓越性がある、と。九条に反対し、その改正を唱えている人ですら、九条のこうした側面は否定しない。改憲論者は、九条が、正義に反するから改正すべきだ、と主張しているわけではない。九条の理念は、それ自体としては崇高だが、国際政治の現実を直視するリアリズムにたつべきだ、というのが彼らの意見である。したがって、九条には普遍的正義に近いものがある、という直観は、日本人の間で広く共有されている。

とはいえ、九条に含意されているような絶対平和主義が究極の理想に近い、という判断は、特に日本人だけがもっているわけではない。第一次世界大戦以降は、広く支持されてきた理念である。だが、国際政治のリアリズムは、絶対平和主義を文字通り実現することを許さない。したがって、どの国も、戦力を全面的に放棄はしない。

そうだとすれば、日本人も、九条を改正して、絶対平和主義の看板を下ろしてもよいのではないか。実際、改憲論者はそのように主張してきたわけだが、しかし、ここまで述べてきたように、日本人は、この普通の意見に全面的に与(くみ)することに、強い無意識の抵抗を感じてきた。どうしてなのか。

ここにはやはり、敗戦をめぐる体験が関与している。敗戦による自尊心の傷と、そこからの立ち直りの体験が、である。今や、日本人の大半が戦後生まれではあるが、しかし、日本人という集合的なアイデンティティにコミットする者にとっては、戦争と敗戦はやはり大きな屈辱であり、恥ずべきことでもある。私たちは――「戦前の私たち」は――全面的に誤っていた、とその罪を認めざるをえない。

この傷を癒やすことができるのは、戦後の体験を通じて、敗戦によって示された罪や恥を補償するに十分な「善きもの」を得たときに限られる。その「善きもの」とは、九条である。こう自問してみるとよい。もし九条を獲得しなかったのだとしたら、私たちは敗戦によって何を学んだことになるのか、と。九条を放棄してしまえば、私たちは、敗戦の傷を負ったままの段階に差し戻されることになる。

こうして、日本人にとって九条は変え難い貴重な物になった。だが、そうすると、もう一度、問わざるをえない。ならば、どうして、戦後の日本人は九条を文字通り実行しようと努力することはなく、ただひたすら蹂躙し続けてきたのか。

Pである。ただしQは例外だ。

この点を説明するには、まず、態度のこうした両極性がどのような心の仕組みによって維持されているのかを理解しておく必要がある。ここで働いているのは、一般的な規定に例外を付していく、という方法である。「Pである。ただしQは例外だ」というやり方だ。この方法は、とても「便利」である。これによって、Pという一般的な原則を維持することができる。にもかかわらず、Qを拡大することを通じて、いくらでもPに反することもできる。Qの領分を最大化すると、Pの部分は実質的にはまったく無になりうる。それでも、Pという原則は守られている、という形式だけは保たれる。

九条もこの手法によって維持されてきた。一般的な原則の「Pである」の部分は、文字通りの憲法九条の第一項・第二項の条文である。標準的な国語力があれば、誰でも理解できる程度には明解に示されている。例外にあたる「Q」の部分は、憲法九条の場合は、決して明示されることはない。それは、暗黙の規定である。

戦後の歴史を通じて、このQの部分が次第に拡大されてきたのだ。たとえば、「ただし自衛隊は『陸海空軍その他の戦力』ではない」。たとえば、「ただし世界で一番強い軍隊に基地を貸して、自分を守ってもらっても、戦力を保持したことにはならない」。たとえば、「ただし我が国の存立がおびやかされているときには集団的自衛権を行使しても、『武力による威嚇又は武力の行使』によって『国際紛争を解決』したことにはならない」。

九条を蹂躙するとは、この例外規定Qの領域を拡げることである。集団的自衛権までQに入っていることになったので、今では、日本は、九条などもたない一般の国々と同じ程度には、戦争することが許される国になった。いずれにせよ、現在では、どこの国も「(個別的または集団的な)自衛権の行使」として、戦争を遂行するものだからだ。

この方法が都合がよいのは、Qがいくら広くとられても、ついにはPの取り分が空集合になってでさえも、Pを維持していることになるからだ。Pは内容としては空虚でも、形式としては守られている。つまり、普通に戦争することができる国だが、自分たちは九条を保持する特別に平和を愛する国民だという自己像を維持することができるのだ。

述べたように、「ただしQ」の部分は、明示的には書かれていない。Qの中に何でも入れられるように、わざと暗黙のままにしておくのだ。それゆえ、九条を読解するためには、書かれていないことを読む眼力が必要になる。そこで人はときどき、その種の魔術的な眼力のある人に問うことになるのだ。内閣法制局や憲法学者に、その種の眼力があると信じられている。人々は彼らに尋ねる。「集団的自衛権はQに入っていますか」「駆け付け警護はQに入っていますか」等と。

しかし、これも考えてみると奇妙な儀式である。日本人は大真面目にこれをやっているが、外から見ると、いささかこっけいなものに映るだろう。集団的自衛権の行使の可能性が、憲法に(見えない文字で)書いてあるかどうかを問うより前に、そもそもお前がそれを欲しているかを問うべきではないか。あなたは、政府に集団的自衛権を行使して欲しいのか。憲法に問う前に、国民に問うべきだろう。しかし、日本人は、自分でそれに答えず、憲法に答えてもらうことにしている。憲法は、「Pである。ただしQは例外だ」という話法を使って、代弁してくれる。

そうすると、私たちは、Qに何を代入しても、Pという一般原則を保っていると見なすことができる。つまり、九条は、内容の上では空虚になっても、形式としては維持されていることになる。これはとんでもない欺瞞だ。しかし、同時に、「形式」も重要である。いくら内容の上では空虚になっても形式を棄てられないとすれば、そこには何か理由があるのだ。

「創設」の行為

日本人は敗戦のトラウマから立ち直るためにも、九条を必要とした。だから日本人は、九条の形式に拘り、それを棄てられない。だが、それならば、どうして、日本人は、その形式に実質を与えようとしないのか。どうして、形式に見合った内容を追求せず、内容のレベルで形式を裏切り続けてきたのか。このことに答えるときだが、その前に、もう一本だけ補助線を引いておこう。補助線とは、ハンナ・アーレントが、アメリカ憲法について論じたことだ。

『革命について』で、アーレントは、フランス革命とアメリカ独立革命を比較し、後者だけが、真に成功した革命だったと評価した。この本の中で、彼女は、アメリカの憲法（国制）がどうやって正統性を獲得したのか、どこから権威を調達したのか、ということを話題にしている。普通は、政治の外部の絶対者（神、教会など）に頼るが、ヨーロッパの伝統から自分を切り離したアメリカではそれができない。ではどうしたのか。

アーレントによれば、アメリカ革命は古代ローマに倣ったというのだが、それは次のような意味だ。持続する新しいもの（政治体）を「創設」する行為、つまり建国の行為そのものが権威を含んでいたのだ、と。偉大なことを成し遂げた「創設」の行為に、自分自身が感動し、それに深い敬意を抱き続けること、これが権威となった。簡単に言えば、「我ながら偉大なことを成し遂げた」という自己への感動が、権威へと転化したのだ。まぎれもなく自分がやったことなのに、自分を超えることを実現したように思える。このふしぎな感覚が、権威の源泉にあり、憲法（国制）の全体の正統性を担保している。

アメリカ人は、日本人とは逆に、憲法を修正（改正）の蓄積というかたちで創ってきた。修正のハードルは高く、必ずしも成功はしないが、アメリカ人は、修正に強い誇りを感じているように見える。修正は、「創設」の行為の反復だからだ。修正というかたちで、偉大な「創設」の行為に自分も参加したことになるのだ。[*4]

とてつもないシニシズム

ここから日本の憲法の方を振り返ると、何が欠落しているのかが見えてくる。ここには「創設」の行為がない。「我ながら偉大なことを成し遂げた」と振り返ることができるような行為への集合的な記憶が存在しない。権威を含み、憲法の正統性の源泉になるような行為、それの反復へと人々を導く行為が、日本の場合には欠けている。

九条を含む新しい憲法を得たとき、日本人は、それを、偉大な産物、偉大な成果であるとは感じただろう。しかし、その結果を導いた行為の記憶はない。あるのは、逆の「無為」の感覚である。「私たちは何もしなかった」と。日本人が、成果として与えられた憲法に関して、「これはすごい、偉大だ」と感動した証拠のひとつは、宮沢俊義が唱えた八月革命説である。これほどのものを生み出したとすれば、昭和二十年八月に革命があったと考えなくては、説明がつかない、と。もちろん、そんな革命は存在しなかった。それは、純粋に架空の革命である。偉大な結果と無為の記憶。そのギャップを、存在しなかった「創設」の行為としての架空の革命が埋める。

一方で、敗戦のトラウマのゆえに、九条に執着しないわけにはいかない。しかし、他方では、その「偉大さ」に見合うような「創設」の行為の記憶が欠けている。このとき何が生ずるのか。とんでもないシニシズムである。具体的に言えば、「Pである。ただしQは例外だ」における、Qの際限のない拡張だ。

私たちにはPがどうしても必要だ、Pから離れることはできない。しかし私たちは、Pにふさわしいことを成し遂げたとは思えない。私たちはPには値しないし、Pに匹敵するほどのことを成し遂げうる自信もない。「どうせ私たちはPには値しない」という自分自身へのシニカルな気分は、Pの形式を手放すことなく、現実にどこまでも妥協し、Qという例外を膨張させ、Pを蹂躙し続ける反復強迫のようなものを帰結する。Pの偉大さと無為の記憶の間のギャップを、嘘(うそ)の革命を挿入してごまかすことはもちろん不可能だ。[*5] 代わりに日本人は、「どうせ私たちは」という自分自身の現実への開き直りによって、そのギャップを埋めようとしてきたのだ。

もちろん、そんなことでは、ギャップは決して埋まらない。ただひたすらギャップを再確認するだけだ。ではどうすればよいのか。論理的にはひとつしか方法はない。敗戦の時点に立ち返って、「創設」の行為をやり直すこと。これしかない。それは具体的には何をなすことなのだろうか?

積極的なアクターとして

もちろん、タイムマシンに乗って、敗戦の時点に戻ることはできない。とすれば、結局、九条の理念にたちかえって、これを文字通りに実行すること、それ以外に方法はない。九条を放棄したり、その理念を否定したりすれば、あるいは九条の理念を実行しようとする努力をどこか中途半端なところで諦めてしまえば、その代償は、日本人にとって高くつくだろう。ここまでの考察がそれを含意している。日本人は、無意識のうちに九条の理念に執着しており、そのことでかろうじて敗戦のトラウマを（不十分なかたちで）乗り越えることもできているからだ。なすべきは、前項で述べたようなシニシズムを完全に脱し、律儀に九条の理念を実行に移すこと（への努力を最後まで放棄しないこと）である。そうすれば、私たち日本人は、あのとき――敗戦のすぐあとの時点において――、九条の「創設」に自ら主体的にコミットしていたのと等しいことになる。現在の時点において九条の理念を実行することが結局、敗戦の時点に遡及して、創設の行為をやり直し、反復することを意味するのだ。

だが、九条を、その理念において実行するとは、結局、どういうことなのか。それは、戦争や紛争に巻き込まれないように巧みにふるまうことではない。戦争・紛争から適度な距離をとり続けることではない。九条の理念が含意していることは、そのような否定的・消極的な所作ではないのだ。九条を、紛争から逃げる否定的・消極的な所作を正当化する条項として解釈するならば、それは、他者が作った平和にただ乗りするための利己的な口実に堕する。つまり、このとき九条自体が、九条の理念を裏切るかたちで使用されていることになる。

ならば、九条の理念とは何か？　戦後の日本人が自らの自尊心の最後の拠り所としてきたその理念とは、何なのか？　これに答えるには、九条を憲法前文とともに読むとよい。そこには、こうある。「われらは、全世界の国民が、ひとしく恐怖と欠乏から免かれ、平和のうちに生存する権利を有することを確認する」と。さらに続けて、「いづれの国家も、自国のことのみに専念して他国を無視してはならない」ともある。

こうした言明に示されているように、九条が目指していることは、諸国民の間の、あるいは諸国家の間の普遍的な連帯に基づく、人民の平和的な共存である。したがって九条の理念を実行するということは、普遍的な包摂性をもった連帯のための積極的なアクターとなることだ。とすれば、私たちは何をなしうるのか？　九条の理念に基づいて私たちは何をなすべきか？　真の問いがここにある。[*6] 九条は、カントが言う「統制的理念」（決して現実化しないが目標として掲げられている理念）ではない。それは、現実化する力をもった理念である。

*1　1789年は、アメリカ憲法が施行された年である。

*2　すでに廃止された憲法を含む歴代憲法の中では、最長寿は、80年続いたイタリア王国の憲法だという。日本国憲法がこれを抜く日は近い。

*3　安全保障については、憲法では規定せず、その都度の法律や政策によって対応すればよい、というのが井上の意見である。そうすれば、憲法違反かどうかを気にすることなく、実際上の必要だけに即して、集団的自衛権の可否について考えることができる。

*4　最高裁の違憲立法審査も、「創設」の行為の反復である。

*5　憲法改正草案が枢密院に諮（はか）られたとき、美濃部達吉はただひとりこれに反対した。彼は、新憲法の第一条は「日本帝国は、連合国の指揮を受けて、天皇これを統治す」とすべきだと主張したのだ。彼は、成し遂げていないことを成し遂げたことにする自己欺瞞が、高い代償を要求することを直観していたのではないか。

*6　憲法九条の理念の実行ということについて、私は以下の二つの論考でより詳しく論じている。大澤真幸「戦争と平和――どうしたら憲法九条は活きるのか」、『THINKING「O」』13号、左右社、2015年。大澤真幸「『こうしよう』と言える日本――憲法九条と積極的中立主義」、『憲法9条とわれらが日本』筑摩書房、2016年。

本書は朝日新聞出版の月刊ＰＲ誌『一冊の本』の連載「この世界の問い方」の２０２０年６月号〜２０２２年８月号（基本的には隔月の連載）までを再編集し、加筆したものです。各章の章扉裏に該当する号を記しました。

大澤真幸 おおさわ・まさち
1958年長野県松本市生まれ。社会学者。専門は理論社会学。東京大学大学院社会学研究科博士課程単位取得満期退学。社会学博士。千葉大学文学部助教授、京都大学大学院人間・環境学研究科教授を歴任。著書に『虚構の時代の果て』『ナショナリズムの由来』(毎日出版文化賞受賞)『不可能性の時代』『自由という牢獄』(河合隼雄学芸賞受賞)『〈世界史〉の哲学』『社会学史』『新世紀のコミュニズムへ』、共著に『ふしぎなキリスト教』『おどろきの中国』など多数。

朝日新書
886

この世界(せかい)の問(と)い方(かた)

普遍的な正義と資本主義の行方

2022年11月30日第1刷発行

著　者　大澤真幸

発行者　三宮博信
カバーデザイン　アンスガー・フォルマー　田嶋佳子
印刷所　凸版印刷株式会社
発行所　朝日新聞出版
〒104-8011　東京都中央区築地5-3-2
電話　03-5541-8832（編集）
　　　03-5540-7793（販売）

Published in Japan by Asahi Shimbun Publications Inc.
ISBN 978-4-02-295195-3
定価はカバーに表示してあります。

落丁・乱丁の場合は弊社業務部(電話03-5540-7800)へご連絡ください。
送料弊社負担にてお取り替えいたします。

朝日新書

生き方の哲学

丹羽宇一郎

伊藤忠商事の経営者と中国大使を務めた丹羽氏。巨額の特別損失計上、悪化する日中関係の逆風など、常に危機と向き合ってきた丹羽氏には「自分の心に忠実に生きる」という生き方の哲学がある。こんな時代にこそ大切な、生きる芯としての哲学の身につけ方を真摯に語る一冊。

ワンランク上の大学攻略法

新課程入試の先取り最新情報

木村 誠

「狙い目の学部」を究めれば、上位の大学に合格できる！ 早慶上理・MARCH・関関同立など有力私立大の学部別に異なる戦略や、新課程に合わせた出題傾向とその対策など、激変する入試の最新情報！ 小論文の賢い書き方を伝授し、国公立大や医学部の攻略法も詳述する。

最強の思考法

フェアに考えればあらゆる問題は解決する

橋下 徹

日常生活でもビジネスでも、何が正解かわからない時代。ブレない主張、鉄壁の反論、実りある着地――「敵」に臆せず、自分も相手もただす「フェアの思考」が最強だ。政治家・法律家として数々の修羅場を勝ちぬいた著者が思考力の核心を初公開。論戦が苦手な人、結果を出したい人必読！

この世界の問い方
普遍的な正義と資本主義の行方

大澤真幸

中国の権威主義的資本主義、コロナ禍、ロシアによるウクライナ侵攻。激変する世界の中で「適切な問い」を立て、表面的な事象の裏にある真因を探る。未来をより良くする可能性はどこにあるのか？　大澤社会学が現代社会の事象に大胆に切り結んでいく。

進路格差
〈つまずく生徒〉の困難と支援に向き合う

朝比奈なを

新卒主義でやり直しがきかない日本社会は、高校卒業時の選択がその後の命運を握ってしまう。大学・専門学校の実態から、旧態依然とした高校生の就活事情まで、進路におけるさまざまな問題を指摘し教育と労働のあり方を問う。

歴史を読み解く城歩き

千田嘉博

全国に三万カ所以上あった中・近世の城郭跡。自然に触れて心が豊かになり仕事への意欲もわく。いいことずくめの城歩き。歩けば武将たちの思いも見えてくる。全国の城びとを応援する著者による城歩き指南決定版。朝日新聞好評連載等をもとにまとめた一冊。

昭和史研究の最前線
大衆・軍部・マスコミ、戦争への道

筒井清忠／編著

世間は五・一五事件の青年将校を「赤穂義士」になぞらえて称賛した！　軍部とマスコミに先導された〝大衆世論〟の変遷から戦争への道筋を読み解く、最新研究に基づく刺激的な論考。ウクライナ戦争、米中対立など国際情勢が緊迫化する今こそ読まれるべき一冊！